Ute Lockert • Ulrike Rieder

S0-BOI-704

Die Voltigier-
abzeichen

Einschließlich Basispass Pferdekunde

Herausgeber: Deutsche Reiterliche Vereinigung e.V. (FN)

FNverlag
der Deutschen
Reiterlichen Vereinigung GmbH
Warendorf

Bibliografische Information der Deutschen Nationalbibliothek
Die Deutsche Nationalbibliothek verzeichnet diese Publikation in der Deutschen Nationalbibliografie; detaillierte bibliografische Daten sind im Internet über http://dnb.d-nb.de abrufbar.

© 2005 **FN**verlag der Deutschen Reiterlichen Vereinigung GmbH, Warendorf.

Das Werk ist urheberrechtlich geschützt. Die dadurch begründeten Rechte, insbesondere die der Übersetzung, des Nachdrucks, der Entnahme von Abbildungen, der Funksendung, der Wiedergabe auf fotomechanischem oder ähnlichem Wege und der Speicherung in Datenverarbeitungsanlagen bleiben, auch bei nur auszugsweiser Verwertung, vorbehalten. Die Vergütungsansprüche des § 54, Abs. 2, UrhG, werden durch die Verwertungsgesellschaft Wort wahrgenommen.

4. völlig aktualisierte Auflage 2014

BERATUNG
DOKR-Disziplinbeirat Voltigieren
Bundestrainerin Ursula Ramge, Warendorf
FN-Abteilung Ausbildung und Wissenschaft sowie FN-Abteilung Jugend, Karin Terharen, Warendorf

KORREKTORAT
FNverlag, Warendorf

FOTOS
Ina Baier, Weinheim: Seiten 41 unten, 48, 56 oben, 69 unten, 70
Klaus Föll, Untergruppenbach: Seite 93
Reiner Gäckle, Simmozheim: Seite 135
Olivier Genot, Iffezheim: Seite 80
Frieder Hiller, Bohndorf: Seite 78 links
Daniel Kaiser, Delitzsch: Seiten 11, 21 (4), 22 (5), 23 (4), 24 (4), 25 (7), 27 (3), 28 (3), 29 (3), 30 (2), 31 (3), 32 (3), 33 (2), 34 (4), 35 (3), 36, 37 (2), 38, 39 (2), 41 oben, 47 (2), 53, 61 (2), 63, 66, 67 unten, 69 oben, 71, 84 links, 127
Joachim Kropp, Zweibrücken: Seiten 45, 130
Ute Lockert, Renningen: Titelfoto, Seiten 1, 9, 40 (2), 50, 55 unten, 73, 74, 75, 78 rechts, 79, 82 (2), 83, 84 Mitte und rechts, 85 (3), 86 (9), 89 (5), 90 (9), 94, 95, 97, 98, 99 (2), 102 oben, 103, 106, 107, 113, 117, 119, 128
Annika Polewsky, Metelen: Seite 110
Peter Prohn, Barmstedt: Seite 111
Julia Rau, Mainz: Seiten 51, 54, 65, 126
Ulrike Rieder, Gaiberg: Seiten 52, 55 oben, 67 oben, 100
Christian Schuh, Renningen: Seiten 7, 102 unten
Antje Seemann, Münster: Seite 59

ZEICHNUNGEN
Alle Zeichnungen Dr. Yvonne Gall, Berlin, außer:
Silke Ehrenberger, Dossenheim: Seiten 81, 104

GESAMTGESTALTUNG
mf-graphics, Marianne Fietzeck, Gütersloh

DRUCK UND VERARBEITUNG
Media-Print Informationstechnologie, Paderborn

ISBN 978-3-88542-796-4

WIR DANKEN
Annette Müller-Kaler, Miriam Esch und Daniel Kaiser für ihre Mitarbeit bei der Erstellung der Fotos.

Der Erwerb von Voltigierabzeichen bietet einen umfangreichen Nutzen. In erster Linie sollen Voltigierabzeichen Spaß bereiten und Lust auf „mehr" machen. Die verschiedenen Abzeichenstufen belegen den individuellen Lernfortschritt und Leistungsstand eines Voltigierers. Zudem sind einige Voltigierabzeichen Voraussetzung für die Teilnahme an bestimmten Bereichen des Turniersports oder für die Zulassung zu Trainer- und Richterprüfungen. Für Anfänger, Fortgeschrittene und Könner hält das Voltigierabzeichensystem der Deutschen Reiterlichen Vereinigung e.V. (FN) passgenaue Angebote parat.

Den Autorinnen Ute Lockert und Ulrike Rieder ist es gelungen, ein Prüfungslehrbuch zu schaffen, das in leicht verständlicher Weise die Abzeichenstruktur im deutschen Voltigiersport mit den wichtigsten Inhalten deutlich macht.

Egal ob Voltigierer, Ausbilder oder Richter – für diese Zielgruppen bietet das Werk wertvolle Hilfestellungen zur Vorbereitung auf die Abzeichenprüfungen im Voltigieren.

Dabei wurde es verstanden, komplexe Sachverhalte so zu vereinfachen, dass sie dem Lernenden schnell zugänglich sind. Insbesondere die Veränderungen in der Abzeichenstruktur werden übersichtlich dargestellt und ermöglichen eine schnelle Orientierung. Dieses kompetente Lehr- und Lernwerk sollte mit Blick auf den Erwerb eines Voltigierabzeichens in keinem Bücherregal fehlen.

Ich wünsche eine erfolgreiche Vorbereitung und gutes Gelingen für deine Voltigierabzeichen!

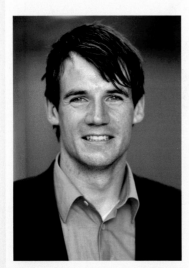

Dr. Dennis Peiler
FN-Geschäftsführer Sport,
Ausbilder und Richter,
ehemaliger Championatskadervoltigierer

„Die Voltigierabzeichen" – ein Buch zur Vorbereitung auf die Prüfung

Dieses Buch „Die Voltigierabzeichen" wird von der **Deutschen Reiterlichen Vereinigung e.V. (FN)**, dem Dachverband für Pferdesport und -zucht, herausgegeben. Als **offizielles Prüfungslehrbuch** zur Vorbereitung für **alle Abzeichen im Voltigiersport** vermittelt es das **nötige Wissen** über das Voltigieren von der ersten Prüfung für Einsteiger bis zur schwierigsten Prüfung für Könner.

Da der **Basispass Pferdekunde** die Voraussetzung für das Voltigierabzeichen **VA 4** (sofern noch keine Reitabzeichen **RA 7 und 6** abgelegt wurden) bildet, wurde dieser mit aufgenommen.

Der Inhalt des Buches wurde mit der FN abgestimmt. Er entspricht den Themen, Anforderungen und Regeln der **aktuellen APO** (Ausbildungs- und Prüfungs-Ordnung) und **LPO** (Leistungs-Prüfungs-Ordnung). Gleichzeitig liegen das **Aufgabenheft Voltigieren** und die **Richtlinien für Voltigieren** diesem Werk zugrunde.

Das Buch „Die Voltigierabzeichen" bildet für alle Voltigierer eine große Lernhilfe für die Prüfungen und erleichtert den Ausbildern die Vermittlung des Lernstoffes. Richter, die die Voltigierabzeichen abnehmen, orientieren sich an diesem Buch und nehmen es als Grundlagen für die Prüfungen.

Zum Aufbau des Buches

Das ausführliche **Inhaltsverzeichnis** bietet bei der Suche nach Informationen eine schnelle Orientierung zu den verschiedenen Themen der Abzeichenprüfungen. Die **Voltigierer bilden die Hauptzielgruppe**. Sie werden deshalb in den Kapiteln 1 bis 6 im „Du-Stil" direkt angesprochen. Das Buch beinhaltet den Lernstoff für die Voltigierlehre und beschreibt das praktische Können im Voltigieren und im Umgang mit dem Pferd. Es ist zum leichteren Erlernen im **Frage- und Antwortstil** aufgebaut. Die Fragen erheben jedoch **keinen Anspruch auf Vollständigkeit**. Selbstverständlich können die Prüfer auch andere und zusätzliche Fragen stellen. Deshalb ist es wichtig, dass die Kandidaten die **Fragen und Antworten nicht stur auswendig lernen**, sondern selbst Zusammenhänge herstellen können. Dabei gilt das Prinzip: Je schwieriger das Abzeichen, desto genauer und umfassender sollten die Kandidaten die Fragen beantworten. Die Kernaussagen bzw. Stichworte sind meist blau hervorgehoben.

Tabellen oder Listen helfen Informationen über ein Thema kompakt und übersichtlich darzustellen. Die Kapitel 7 bis 9 gehören nicht mehr zum Prüfungsstoff der APO. Die Fragen in Kapitel 7 sind Zusatzfragen für jeden Interessierten und bilden eine Grundlage für die Trainer- und Richterausbildung. Im Kapitel 8 erhalten die Ausbilder/Trainer viele wichtige und praktische Hinweise zur Vorbereitung ihrer Prüfungskandidaten.
Die Veranstalter finden im Kapitel 9.1 wertvolle Planungshilfen und organisatorische Hinweise zum Ablauf einer Abzeichenprüfung.
Den Prüfern gibt das Buch neben der großen Auswahl an Prüfungsfragen im Kapitel 9.2 viele Hilfen für ihre Vorbereitung auf eine Abzeichenprüfung an die Hand.

In eigener Sache
In diesem Buch wurde – im Sinne von Kürze und Lesbarkeit – die im Sprachgebrauch übliche männliche Kurzform gewählt. Alle Leserinnen möchten dies entschuldigen und sich in jedem Einzelfall ganz besonders angesprochen fühlen.

Prüfe dich selbst!
❏ **Am Ende jedes Themas werden zur eigenen Wissensüberprüfung die wichtigsten Punkte in mehreren Fragen zusammengefasst.**

Wichtig
• *Hier finden sich wichtige Hinweise, die unbedingt beachtet werden müssen!*

Sicher ist sicher!
• Hinweise zur **„Sicherheit und Unfallverhütung"** für sicheres Verhalten im Umgang mit dem Pferd und im Voltigierunterricht werden besonders hervorgehoben.

Merke dir
• Diese Hinweise sollte sich jeder Voltigierer unbedingt für das jeweilige Thema merken.

Dein Ziel: Voltigierabzeichen – Stufe für Stufe

Wir freuen uns, dass du dich entschlossen hast, ein Abzeichen im Voltigiersport zu erwerben. Was hat dich bewogen, dieses Ziel anzustreben? Ist dein Ausbilder der Meinung, dass du deine Leistungen mit einem Abzeichen bestätigen lassen solltest oder haben deine Vereinskameraden dich dazu angespornt? Aus welchem Grund auch immer du dich für ein Abzeichen entscheidest, sicher ist: Ansporn und Anerkennung braucht jeder – ob in der Schule oder im Sport. Das trifft auch auf das Voltigieren zu, denn eine Abzeichenprüfung ist immer ein lohnendes Trainingsziel und motiviert dich zu weiteren Fortschritten!

Die Deutsche Reiterliche Vereinigung e.V. (FN) bietet für den Voltigiersport unterschiedlich abgestufte Abzeichen an – passend zum persönlichen Leistungsstand der Voltigierer. Ziel aller Voltigierabzeichen ist es, eine fachgerechte Ausbildung zu fördern und **Motivations- und Leistungsanreize** zu setzen.

Wichtig

- *Achte darauf, dass du immer die neueste Auflage der APO, LPO und des Aufgabenheftes Voltigieren sowie der Richtlinien, Band 3 – Voltigieren verwendest und auch über die neuesten Kalenderveröffentlichungen der FN informiert bist.*

Dieses Buch ist das offizielle Prüfungslehrbuch der FN für alle Abzeichen im Voltigiersport. Es hilft dir, dich optimal auf dein angestrebtes Ziel vorzubereiten! Lerne die Antworten für die Prüfung nicht stur auswendig, ohne diese wirklich verstanden zu haben. Sonst weißt du nicht weiter, wenn dir eine Frage einmal etwas anders gestellt wird. Wichtiger ist, dass du dein Wissen und Können auch in der Praxis anwenden kannst und nicht den ganzen Stoff gleich nach der Prüfung wieder vergisst!

Bei jeder Abzeichenprüfung ist allein deine eigene Leistung ausschlaggebend. Dabei spielt es keine Rolle, ob du schon an Wettkämpfen teilgenommen hast. Wenn du eine Prüfung geschafft hast, wird dir sichtbar bestätigt, dass du über ein gewisses Maß an Können und Wissen im Voltigieren und in der Pferdekunde verfügst. Nicht nur deine Eltern und dein Ausbilder werden sich über deinen Erfolg freuen, auch dein Verein wird stolz auf dich und alle Voltigierer sein, die eine Abzeichenprüfung erfolgreich gemeistert haben!

Die Voltigierabzeichen (VA)

1.1 Für den Nachwuchs – die Einstiegsabzeichen VA 10, VA 9 und VA 7

Diese reizvollen **Einstiegsprüfungen** bieten dir die erste Möglichkeit, dein Wissen und Können im Umgang mit dem Pferd unter Beweis zu stellen. Zusätzlich werden die in der APO festgelegten Voltigierübungen beurteilt.

- Die Anforderungen steigern sich im Schwierigkeitsgrad vom VA 10 zum VA 7.
- Es werden **keine Wertnoten** vergeben. Am Ende der Prüfung lautet das Ergebnis „bestanden" oder „nicht bestanden".
- **Du darfst selbst entscheiden, mit welchem der genannten Einstiegsabzeichen du beginnen möchtest.** Da die Abzeichen aufeinander aufbauen, empfehlen wir dir jedoch, diese Stufe für Stufe abzulegen.

Die FN bietet für Einsteiger ab dem Jahr 2014 drei verschiedene Voltigierabzeichen an:

Das Voltigierabzeichen VA 10   (ehemals Steckenpferd)
Das Voltigierabzeichen VA 9   (ehemals das Kleine Hufeisen)
Das Voltigierabzeichen VA 7   (ehemals das Große Hufeisen)

Die Abzeichenstufen der RA 8, 6 und 5 werden nur im Reitsport angeboten, aber nicht für das Voltigieren.

Die Einstiegsabzeichen VA 10, VA 9 und VA 7 sollen ein Ansporn für das weitere Training sein und können deshalb **jährlich neu** in Form von **Sonderprüfungen** abgelegt werden. Bei erfolgreicher Teilnahme erhältst du im Anschluss an die Prüfung ein Abzeichen als Anstecker und eine Urkunde. Sollte ein Abzeichen nicht auf Anhieb klappen, darfst du die gesamte Prüfung zum nächsten Termin wiederholen. Wir empfehlen dir aber, mindestens **drei Monate zu warten**. Dann hast du genügend Zeit, noch einmal kräftig zu üben und dich weiter zu verbessern!

Was musst du über die Prüfungen wissen?

Die Einstiegsabzeichen können ohne Altersbeschränkungen erworben werden. Du musst auch nicht Mitglied in einem Pferdesportverein sein.

Alle Teilprüfungen müssen **an einem Tag abgelegt** werden. Den Prüfungsablauf kannst du in Kapitel 9.2 nachlesen.

- Vor der Prüfung musst du an einem entsprechenden **Vorbereitungslehrgang** teilnehmen.
- Alle Teilnehmer sollen sportgerecht und innerhalb ihrer Gruppe möglichst einheitlich gekleidet sein. Mehr dazu in Kapitel 5.7.
- Jeder Longenführer kann selbst entscheiden, ob die Voltigierübungen auf der linken oder auf der rechten Hand gezeigt werden.
- Die Inhalte der Teilprüfungen stehen in der Übersicht auf der folgenden Doppelseite. Im nächsten Kapitel findest du die praktischen Übungen.

Die Voltigierabzeichen VA 10, VA 9 und VA 7 für den Einstieg im Überblick

	Früher	Teilprüfung Voltigieren	
VA 10	**Stecken-pferd**	**Voltigieren** • Im Takt mittraben oder mitgaloppieren • Aufsprung mit Hilfestellung im Schritt • Abgang nach innen mit Landung und Auslaufen in Bewegungsrichtung • 4 Übungen im Schritt aus der Übungsliste (SIEHE RECHTS) • Eine beliebige Doppelübung im Schritt	**Übungsliste Voltigieren** • Grundsitz vorwärts angefasst oder frei • Rückwärtssitz angefasst oder frei • Sitzen vor dem Gurt vorwärts oder rückwärts • Seitsitz angefasst innen oder außen angefasst • Quersitz innen oder außen, eine Hand frei • Schneidersitz vorwärts oder rückwärts, angefasst oder frei • Umsteiger im Sitzen • Bank vorlings oder rücklings • Bank vorlings, innere Hand auf dem Rücken des Voltigierers • Freies Knien vorwärts oder rückwärts • Lieger vorwärts oder seitwärts • Liegestütz vorwärts • Standwaage auf dem Pferde-rücken vorwärts oder rückwärts oder seitwärts, angefasst oder frei • Standwaage in der Schlaufe vorwärts oder rückwärts oder seitwärts, angefasst oder frei
VA 9	**Kleines Hufeisen**	**Voltigieren** • Im Takt mittraben oder mitgaloppieren • Aufsprung mit Hilfestellung im Schritt • Abgang nach innen mit Landung und Auslaufen in Bewegungsrichtung • 2 Übungen aus der Übungsliste rechts im Galopp und 4 Übungen im Schritt • Eine beliebige Doppelübung im Schritt	
VA 7	**Großes Hufeisen**	**Voltigieren** • Im Takt mittraben oder mitgaloppieren • Aufsprung mit Hilfestellung im Schritt oder Galopp • Abgang nach innen mit Landung und Auslaufen in Bewegungsrichtung • 5 Übungen aus der Übungsliste rechts im Galopp • Eine beliebige Doppelübung im Schritt	*„Freie" Armhaltung bedeutet, dass jeweils ganz beliebige Armhaltungen und -bewegungen möglich sind.*

gemäß APO 2014

Stationsprüfungen

Station 1	Station 2	Station 3
Umgang mit dem Pferd	**Theorie**	entfällt
• Führen, Anbinden, Passieren anderer Pferde, Sicherheit auf der Stallgasse	• Grundbedürfnisse des Pferdes, Grundsätze auf dem Gebiet des Pferdeverhaltens, des Umgangs mit dem Pferd, der Ethischen Grundsätze (1 x 9 der Pferdefreunde)	
• Pferdepflege: z.B. Putzen mit Striegel und Kardätsche, Huf- und Schweifpflege, Versorgen des Pferdes nach der Arbeit		
• Mithilfe beim Zäumen und beim Gurten		
• Bezeichnung der wichtigsten Putz- und Ausrüstungsgegenstände, Lederpflege		
	• Grundkenntnisse auf dem Gebiet der Pferdehaltung, Fütterung, des Tierschutzes und der Unfallverhütung	
Voltigierlehre		
• Grundkenntnisse über Voltigierübungen und Bahnordnung (SIEHE KAPITEL 5 BZW. FN-RICHTLINIEN, BAND 3, VOLTIGIEREN)		
Station 1	**Station 2**	**Station 3**
Umgang mit dem Pferd	**Theorie**	**Theorie**
• Führen, Anbinden, Passieren anderer Pferde, Sicherheit auf der Stallgasse	• Grundsätze auf dem Gebiet des Pferdeverhaltens, des Umgangs mit dem Pferd, der Ethischen Grundsätze (1 x 9 der Pferdefreunde)	• Voltigierlehre: Grundkenntnisse über Voltigierübungen (Pflicht, Kür) und Bahnordnung
• Pferdepflege: z.B. Putzen mit Striegel und Kardätsche, Huf- und Schweifpflege, Versorgen des Pferdes nach der Arbeit		
• Bezeichnung der wichtigsten Putz- und Ausrüstungsgegenstände, Lederpflege		
• Grundkenntnisse auf dem Gebiet der Pferdehaltung, Fütterung, des Tierschutzes und der Unfallverhütung		

1.2 Der nächste Schritt: Basispass Pferdekunde

Bevor du das nächste Voltigierabzeichen, das **VA 4** erwerben kannst, musst du die Prüfung zum Basispass Pferdekunde abgelegt haben. Es sei denn, du besitzt bereits die beiden Reitabzeichen 7 und 6. Der Basispass bildet die **Grundlage für alle weiterführenden Leistungsabzeichen ab VA 4** – unabhängig davon, ob ein Bewerber anschließend ein Reit-, Fahr-, Longier- oder Voltigierabzeichen oder ein Abzeichen im Westernreiten erwerben möchte. Beim Basispass Pferdekunde gibt es ebenfalls keine Altersbeschränkung. Vor der Prüfung muss ein entsprechender Vorbereitungslehrgang absolviert werden. Diese Prüfung kann auch von interessierten Pferdefreunden, die selbst nicht reiten oder voltigieren, z.B. von den Eltern der Voltigierer, abgelegt werden.

Der Basispass Pferdekunde besteht aus **einer Prüfung** über den praktischen Umgang mit dem Pferd und zusätzlich **vier Stationsprüfungen**. Beide müssen an einem Tag abgelegt werden. Die Prüfung kann auch unmittelbar vor der Prüfung zum Voltigierabzeichen 4 abgelegt werden. Einzelheiten zum Prüfungsablauf kannst du in Kapitel 9.2 nachlesen.

Bei der Prüfung für den Basispass Pferdekunde geht es nicht um das Voltigieren, sondern um das **Grundlagenwissen rund um das Pferd.** Wenn du den Basispass in der Tasche hast, wird dir offiziell von der FN bescheinigt, dass du wichtige Grundfertigkeiten im Umgang mit Pferden und Grundkenntnisse über deren Bedürfnisse, Haltung und Pflege besitzt.

Wer hat bestanden?

Wertnoten werden beim Basispass Pferdekunde nicht vergeben, das Resultat lautet wie bei den ersten Voltigierabzeichen entweder „bestanden" oder „nicht bestanden". Sollte es mit dem Bestehen nicht sofort klappen, kannst du die gesamte Prüfung gleich bei der nächsten Gelegenheit wiederholen. Aber keine Sorge! Mit der richtigen Vorbereitung wirst du es bestimmt auf Anhieb schaffen. Nach bestandener Prüfung wird dir von der Prüfungskommission im Auftrag der FN das Abzeichen und die Urkunde für den „Basispass Pferdekunde" überreicht.

Der Basispass Pferdekunde im Überblick

1. Teilprüfung: Praktischer Umgang mit dem Pferd

- Pferdeverhalten erkennen
- Pferde richtig ansprechen und sich richtig annähern
- Das Vertrauen des Pferdes gewinnen
- Pferde von beiden Seiten geradeaus führen und an einem vorgegebenen Punkt anhalten
- Ein Pferd anbinden und es zur Seite weichen lassen
- Mit einem Pferd an Artgenossen vorbeigehen

- Gangmaßwechsel im Schritt, Slalom, Traben auf gerader Linie, Rückwärtsrichten
- Dreiecksvorführung
- Loslassen eines Pferdes auf der Weide oder dem Paddock
- Pflege von Fell, Langhaar und Hufen
- Das Pferd ausrüsten, satteln, aufzäumen und Beinschutz (z.B. Bandagen) anlegen
- Mithilfe/Grundtechniken/Sicherheit des Verladens
- Pflege der Box und des Paddocks

2. Stationsprüfungen

An den folgenden vier Stationen soll der Bewerber sein praktisches Können im jeweiligen Themengebiet beweisen und die Zusammenhänge begründen können.

Es werden folgende Kenntnisse geprüft:

a) das Pferdeverhalten und der Umgang einschließlich der Bewegung
- die Entwicklungsgeschichte, das Verhalten von Pferden, ihr Bewegungsbedürfnis und der verhaltensgerechte Umgang mit Pferden, die Beurteilung des Charakters und von Verhaltensabweichungen
- Sicherheitsaspekte und Unfallverhütung, die einschlägigen Bestimmungen des Tierschutzgesetzes
- Transportieren von Pferden
- das Identifizieren von Pferden mittels Farbe, Geschlecht, Abzeichen und Brandzeichen

b) die Fütterung und die Fütterungstechnik
- Grundkenntnisse der Anatomie und der Verdauung
- Futtermittel und Futtermenge sowie deren Zusammenstellung
- den Zeitpunkt und den Ablauf der Fütterung (Fütterungstechnik)

c) die Grundlagen der Pferdegesundheit
- Pferdepflege, Hufpflege und Ausrüstung
- Grundkenntnisse von Anatomie und wesentlichen Erkrankungen
- Kenntnisse über Impfungen und Wurmkuren
- Erste-Hilfe-Maßnahmen am Pferd

d) die Stallräume, Nebenräume und Bewegungsflächen
- Grundlagen zu den Themen Haltungsformen, Stallklima, Stalleinrichtung, Auslauf und Weide

1.3 Für Fortgeschrittene – die Leistungsabzeichen VA 4 bis VA 1

Die FN bietet den Voltigierern je nach Ausbildungsstand verschiedene Voltigierabzeichen im Galopp als Auszeichnung an. Die Voltigierabzeichen der VA 4 bis VA 1 sind Leistungsabzeichen, bei denen die praktischen und theoretischen Fähigkeiten der Voltigierer überprüft werden. Sie bauen aufeinander auf, sodass du deine Kenntnisse mehrmals entsprechend deinen Fortschritten beurteilen lassen kannst. Alle Abzeichenprüfungen sind Sonderprüfungen. Sie können nicht auf einem Voltigierturnier abgelegt werden.

Das Voltigierabzeichen in Gold ist eine ganz besondere Auszeichnung, das nur aufgrund von Erfolgen im Turniersport verliehen wird.

Prüfung Voltigierabzeichen VA 4　　**Prüfung Voltigierabzeichen VA 2**
Prüfung Voltigierabzeichen VA 3　　**Prüfung Voltigierabzeichen VA 1**

Erfolge Voltigierabzeichen Gold

Wer kann die Voltigierabzeichen erwerben?
Jeder Voltigierer kann jedes Voltigierabzeichen ohne Altersbeschränkung erwerben, sofern er die in Kapitel 9.2 aufgeführten Voraussetzungen erfüllt.

**Was musst du über die Voltigierabzeichen
VA 4 bis VA 1 wissen?**

- Die in der Prüfung vorgestellten **Pferde müssen mindestens fünf Jahre alt sein** und den Anforderungen der entsprechenden Prüfung genügen.
- Die **APO** verlangt für die Voltigierabzeichen theoretische und praktische Kenntnisse im Voltigieren und der Pferdekunde. Alle VA-Prüfungen bestehen aus **zwei Teilprüfungen**, die an einem Tag bzw. an zwei aufeinander folgenden Tagen abgelegt werden. Alle Prüfungsanforderungen sind am Ende dieses Kapitels übersichtlich dargestellt.
- Die Anforderungen für den praktischen Teil der Abzeichen sind in der jeweils **gültigen APO** aufgeführt.
- Alle Voltigierübungen müssen an einem Tag **im Galopp auf der linken Hand** gezeigt werden.
- Bei allen Voltigierabzeichenprüfungen dürfen **ganze, halbe und Zehntelnoten** vergeben werden.

- Eine Übung darf auf Weisung der Richter am Ende der Prüfung **einmal wiederholt** werden.
- Bestehst du eine Teilprüfung nicht, musst du die ganze Prüfung wiederholen.

Wozu wird ein Voltigierabzeichen gebraucht?

Das VA 4 für:
• den Erwerb des VA 3 • die Zulassung zum Trainer B Voltigieren/Basissport (APO § 4460) oder eines anderen Pferdesportabzeichens • die Zulassung zum Richter Breitensport Voltigieren (APO § 5634) oder Trainer-C-Prüfung
Das VA 3 für:
• den Erwerb des VA 2 • die Jahresturnierlizenz im Einzel- und Doppelvoltigieren • den Start bei Prüfungen für L-Gruppen ohne Qualifikationsnoten, falls vier Voltigierer das VA 3 besitzen. • die Zulassung zum Trainer B Voltigieren/Leistungssport (APO § 4470) oder eines anderen Pferdesport- oder Geländeabzeichens
Das VA 2 für:
• den Erwerb des VA 1 • die Zulassung zum Richter Voltigieren (APO § 5410) oder Trainer-C-Prüfung und ein anderes Abzeichen der Stufe 2

Wer kann das Voltigierabzeichen in Gold erhalten?

Das Voltigierabzeichen in Gold verleiht die FN nur an Einzelvoltigierer, die bei Turnierstarts seit dem 1. Januar 2005 **zehnmal die Wertnote 8,0 oder höher** erreicht haben. Gewertet werden Leistungen im In- und Ausland, jedoch bei internationalen Turnieren nur, wenn die Nennung durch die FN erfolgt ist. Für ausländische Voltigierer werden nur Leistungen anerkannt, die im Bereich der deutschen FN errungen wurden.

Gruppenvoltigierer können dieses Abzeichen ebenfalls beantragen, wenn sie seit dem 1. Januar 2005 zwei Platzierungen an 1. bis 3. Stelle bei einem internationalen Championat (Europa- und Weltmeisterschaft) und/oder mindestens vier Platzierungen an 1. bis 3. Stelle bei einem CVI3* (bis einschließlich 2011 CVI2*) bzw. CVIJ2* und/oder DM/DJM Voltigieren nachweisen können (APO § 3650).

> *Wichtig*
>
> - *Für die Ausbildung zum Voltigierrichter und -trainer werden verschiedene Voltigierabzeichen oder andere Pferdesportabzeichen laut APO vorausgesetzt (siehe oben). Wer schon in jungen Jahren weiß, dass er später diese Ausbildungswege einschlagen möchte, darf nicht versäumen, die erforderlichen Voltigierabzeichen rechtzeitig abzulegen.*

Merke dir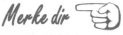

- Jeder Voltigierer, der die erforderlichen Qualifikationen erfüllt, muss das Voltigierabzeichen in Gold mit dem gleichzeitigen Nachweis seiner Erfolge bei seinem Landesverband bzw. seiner Landeskommission oder direkt bei der FN beantragen.

Die Voltigierabzeichen VA 4, VA 3, VA 2 und VA 1 im Überblick

Abzeichen (Früher)	VA 4 (DVA IV)	VA 3 (DVA III)	
Praxis	**1. Block** 1. Aufsprung 2. Freier Grundsitz 3. Bank-Fahne 4. Liegestütz und Abgang außen **2. Block** 5. Quersitz innen und außen 6. Knien 7. Stütz-Abhocken nach innen 8. Landung	**1. Block** 1. Aufsprung 2. Freier Grundsitz 3. Halbe Mühle nach innen zum Rückwärtssitz 4. Stützschwung rücklings und Abgang aus dem Rückwärtssitz nach innen **2. Block** 5. Fahne: Bein und Arm nacheinander ausstrecken 6. Stehen 7. Stützschwung vorlings und Wende nach innen	
Theorie	**Station 1** • Kenntnisse zum Einstieg in den Turniersport (Anforderungen der Klasse A, Hauptkriterien der oben genannten Übungen) **Station 2** • Grundkenntnisse auf dem Gebiet der Voltigierlehre, Ausrüstung der Voltigierer und des Pferdes, Ablauf der Voltigierstunde und Verhalten im Voltigierunterricht, Sicherheit und Hilfestellung	**Station 1** • Erweiterte Kenntnisse auf dem Gebiet des Umgangs mit dem Pferd, Pferdepflege, Ausrüstung, der Pferdehaltung und Fütterung, Tierschutzgesetz einschließlich Transport **Station 2** • Grundkenntnisse auf dem Gebiet der Voltigierlehre, Ablauf der Voltigierstunde, Sicherheit und Hilfestellung, Anforderungen der Klasse L, Hauptkriterien der oben genannten Übungen	
Wertnoten	Mindestens Note 5,0 bei allen Übungen und in den Stationsprüfungen	Mindestens Note 5,0 bei allen Übungen und in den Stationsprüfungen	
Wiederholung möglich, sofern	eine Übung unter 5,0	eine Übung unter 5,0	

gemäß APO 2014

VA 2 (DVA II)	VA 1 (DVA I)
In einem Block 1. Aufsprung 2. Freier Grundsitz 3. Fahne: Bein und Arm gleichzeitig ausstrecken 4. Mühle 5. Schere 6. Stehen 7. Flanke: 1. Teil: Wende zum Innenseitsitz, dann aus dem Grundsitz Wende nach außen	**In einem Block** 1. Aufsprung 2. Freier Grundsitz 3. Fahne: Bein und Arm gleichzeitig ausstrecken 4. Mühle 5. Schere 6. Stehen 7. Flanke: 1. Teil: Wende zum Seitsitz innen 2. Teil: daraus Wende nach außen
Station 1 • Grundkenntnisse zu Ausrüstung, Einsatz und Belastung eines Voltigierpferdes **Station 2** • Verhaltens-/Ehrenkodex im Pferdesport (Grundregeln des Verhaltens im Pferde- sport) **Station 3** • Kenntnisse auf dem Gebiet der Voltigier- lehre, körperliche Anforderungen und spe- zielle Gymnastik, Technik und Ausführung der Voltigierübungen, Anforderungen für Einzel- und Gruppenvoltigieren der Klassen M und S, Hauptkriterien dieser Pflicht- übungen	**Station 1** • Kenntnisse auf dem Gebiet der Voltigierlehre, Turnieranforderungen für EV, DV und Gruppenvoltigieren, Veterinärkunde **Station 2** • Technik und Ausführung der Voltigierübungen (Pflicht und Kür) sowie körperliche Anforde- rungen und spezielle Gymnastik
Durchschnittsnote 6,5 bei allen Übungen, dabei keine Note unter 5,0 und in den Stationsprüfungen mindestens 6,5	Durchschnittsnote 8,0 bei allen Übungen, dabei keine Note unter 5,0 und in den Stationsprüfungen mindestens 8,0
eine Übung falls Durchschnitt unter 6,5	eine Übung falls Durchschnitt unter 8,0

2

Die praktische Prüfung im Voltigieren: VA 10, VA 9 und VA 7

2.1 Das musst du für die praktische Prüfung können

Im praktischen Teil der Voltigierabzeichenprüfung musst du dein **Voltigierkönnen auf dem Pferd** beweisen. In diesem Kapitel erfährst du, nach welchen Kriterien die einzelnen Voltigierübungen beurteilt werden. Fragen zum praktischen Voltigieren können dir auch in der Theorieprüfung gestellt werden.

Das musst du für die Einstiegsabzeichen können

- Für das **VA 10** musst du vier Übungen auf der linken oder rechten Hand im Schritt zeigen. Die Übungen wählst du aus der Übungsliste im Kapitel 1.1 selbst aus. Zusätzlich zeigst du mit einem anderen Voltigierer eine Doppelübung im Schritt (SIEHE BEISPIELE S. 25).

- Für das **VA 9** wählst du sechs Übungen aus der Übungsliste aus, davon zwei Übungen im Galopp und vier Übungen im Schritt auf der linken oder rechten Hand. Zusätzlich zeigst du mit einem anderen Voltigierer eine Doppelübung im Schritt.

- Für das **VA 7** wählst du fünf Übungen aus der Übungsliste aus, die du alle im Galopp auf der linken oder rechten Hand zeigst. Dazu kommt eine Doppelübung im Schritt.

Auf den folgenden Seiten werden dir einige Übungen zur Auswahl vorgestellt, die zum praktischen Teil der Abzeichenprüfung gehören. Wenn du mehr über den richtigen Bewegungsablauf wissen möchtest, dann kannst du in den Richtlinien für Voltigieren und dem Aufgabenheft Voltigieren von den meisten Übungen eine genauere Beschreibung finden.

Merke dir

- Die statischen Übungen musst du mindestens vier Galoppsprünge aushalten bzw. genauso lange im Schritt zeigen.
  Führst du Übungen „frei" aus, so darfst du dir eine beliebige Armhaltung oder -bewegung aussuchen. Du kannst mit den Armen also auch schwingen oder kreisen o.Ä.
  Du erhältst für deine Übungen **keine Wertnoten**. Du hast bestanden, wenn du die Übungen so zeigst, dass die Grundtechnik stimmt und die Richter die Übungen gut erkennen können. Wähle deshalb nur Übungen aus, die du auch beherrschst!

2.2 Grundübungen für die Einstiegsabzeichen

Bei diesen Voltigierabzeichen gehören folgende Grundübungen dazu:

■ Im Takt des Pferdes mittraben oder mitgaloppieren

Das ist wichtig
Damit du auf Höhe des Gurtes ankommst und mit dem Pferd im Tempo mithalten kannst, musst du zügig im Rhythmus des Pferdes an der Longe entlang anlaufen. Schaue dabei immer nach vorne und halte die Arme ruhig. Halte dich an den Griffen fest und laufe auf Gurthöhe einige Schritte mit.

■ Aufsprung im Schritt oder im Galopp

Das ist wichtig
Blicke beim Abspringen vom Boden nach vorne und springe kräftig vom Boden ab, damit du genügend Höhe und Schwung bekommst. Strecke deine Beine und beuge deine Hüfte. Bringe dein Becken und dein rechtes Bein möglichst hoch über das Pferd. Sitze unmittelbar hinter dem Gurt weich ein und richte dich sofort mit dem Oberkörper auf.

■ Zwei Möglichkeiten der Hilfestellung für den Aufsprung

Zur Schonung des Pferdes muss der Aufsprung im Schritt immer mit korrekter Hilfestellung erfolgen. Andernfalls hängen die Voltigierer mit ihrem ganzen Körpergewicht seitlich am Gurt. Außerdem wird damit vermieden, dass sich die Voltigierer eine falsche Technik angewöhnen, indem sie sich mit ihrem Oberkörper zuerst hochziehen.

2

■ **Abgang nach innen mit Landung und Auslaufen in Bewegungsrichtung**

Das ist wichtig

Ein Abgang mit korrekter Landung schont die Gelenke und vermeidet Verletzungen.

Achte beim Abdruck von den Griffen auf die Streckung und Spannung des ganzen Körpers und eine korrekte, federnde Landung auf beiden Füßen. Die Knie und Füße zeigen dabei nach vorne und sind leicht geöffnet und parallel. Laufe in die Bewegungsrichtung des Pferdes nach vorne aus.

2.3 Die Übungen aus der Übungsliste für die Einstiegsabzeichen

■ **Grundsitz vorwärts (angefasst oder frei)** (SIEHE FOTO VA 4)
■ **Rückwärtssitz hinter dem Gurt (angefasst oder frei)** (OHNE FOTO)
■ **Quersitz innen oder außen (eine Hand frei)** (SIEHE FOTO VA 4)

■ **Sitzen vor dem Gurt vorwärts oder rückwärts**   ■ **Schneidersitz vorwärts oder rückwärts (angefasst oder frei)**   ■ **Seitsitz angefasst innen oder außen**

Das ist für alle Sitzübungen wichtig

Sitze immer aufrecht und ausbalanciert nahe am Gurt auf dem ganzen Gesäß. Gehe in die Bewegung des Pferdes ein und lege beide Beine an das Pferd an. Fußschlaufen nicht benutzen!

Bank vorlings

Bank rücklings mit hochgespreiztem Bein

Bank vorlings, innere Hand auf dem Rücken des Voltigierers (OHNE FOTO)

Einfache Bank rücklings (OHNE FOTO)

Das ist für die Bank wichtig

Um die Bank im Gleichgewicht und mit Körperspannung halten zu können, musst du beide Unterschenkel ganz auf dem Pferderücken auflegen und die Bewegungen des Pferdes mit den Ellbogen abfedern. Achte auf einen geraden Rücken.

Freies Knien vorwärts oder rückwärts

Umsteiger

Das ist für das Knien wichtig

Knie mit beiden Unterschenkeln und Füßen flach auf dem Pferd. Richte dich auf und achte auf eine gestreckte Hüfte.

Das ist für alle Umsteiger im Sitzen wichtig

Steige vom Pferderücken vom Vorwärts- zum Rückwärtssitz auf den Pferdehals oder umgekehrt. Stütze dich kräftig auf beide Arme ab und führe ein Bein hoch und gestreckt über das Pferd.

2

■ **Liegestütz vorwärts**

■ **Lieger vorwärts, seitwärts oder quer**

Das ist für den Liegestütz und Lieger wichtig

Stütze dich beim Liegestütz auf die Arme und spanne den ganzen Körper. Die Ganzkörperspannung ist auch für alle anderen Lieger ganz wichtig.

■ **Standwaage auf dem Pferderücken**
vor-/rück-/seitwärts (angefasst oder frei)

■ **Standwaage in der Schlaufe vor-/rück-/**
seitwärts (angefasst oder frei)

Das ist für die Standwaage wichtig

Strecke ein Bein weit aus, ohne dich im Rücken und Schultergürtel zu verdrehen. Achte darauf, dass du ganz gespannt bleibst. Federe mit dem Standbein die Bewegungen des Pferdes ab.

2

2.4 Beispiele für Doppelübungen im Schritt

Hier findet ihr einige Ideen für Doppelübungen:

■ Prinzensitz und Stehen

■ Querlieger und Fahne

■ Doppelter Schlaufenstand

■ Standwaage auf der Schulter

■ Querlieger und Standwaage

■ Fahne und Standwaage

■ Handstand und Knien

Weitere Beispiele ohne Fotos:

■ Schneidersitz und Knien
■ Schulterlieger
■ Spreizsitz und Knien
■ Doppelter Prinzensitz
■ Pistole und Fahne
■ Doppelte Fahne (auch gegeneinander)
■ Zwei Standwaagen vorwärts in den Schlaufen

Die praktische Prüfung im Voltigieren: VA 4, VA 3, VA 2 und VA 1

3.1 Das musst du für die Leistungsabzeichen VA 4, VA 3, VA 2 und VA 1 können

Die Übungen für die Voltigierabzeichen VA 4, 3, 2 und 1 sind in der Übersicht in Kapitel 1.3 zu finden. Die Bewertung und die Abzüge für Fehler der einzelnen Übungen stehen im Aufgabenheft Voltigieren (SIEHE AUCH KAPITEL 5.7, S. 64). Für das **VA 4** musst du bei allen Übungen im Galopp mindestens die Wertnote 5,0 und bei dem **VA 3** für jede Übung im Galopp mindestens die Wertnote **5,0** erreichen. Für beide Abzeichen muss jede Übung im Gleichgewicht mit der richtigen Grundtechnik gezeigt werden.

Wichtig

- *Die korrekte Technik dieser Übungen und die Ausführung sind im **Aufgabenheft Voltigieren** aufgeführt und in den **Richtlinien, Band 3: Voltigieren** genauer beschrieben. Der Aufsprung zur ersten Übung im 1. Block erhält immer eine separate Note.*

Wer sich an das **VA 2** wagt, muss schon schwierigere Übungen im Galopp zeigen können und für alle Übungen mindestens die Durchschnittsnote **6,5** erhalten. Die richtige Technik der einzelnen Übungen musst du nun schon sicherer beherrschen. Du kannst dir dabei noch einige Ausführungsfehler erlauben.

Für das **VA 1** musst du einen Durchschnitt von mindestens **8,0** für alle Übungen im Galopp erreichen. Dieses Ziel wirst du nur erreichen, wenn du über ein sehr gutes turnerisches Können verfügst und alle Übungen mit der korrekten Technik sicher beherrschst. Dazu gehört auch, dass du alle Übungen genau, flüssig und harmonisch ausführen kannst. Es dürfen nur noch kleine Fehler vorhanden sein.

Für alle Abzeichen gilt: keine Note darf unter 5,0 liegen.

Auf den folgenden Seiten findest du die praktischen Anforderungen für jedes Abzeichen. Beachte unbedingt die **Hauptkriterien** der Übungen, die jeweils unter dem Punkt **„Das ist wichtig"** aufgelistet sind. Im Kapitel 5 dieses Buches findest du die Fragen zu der Bewertung von Pflichtübungen.

Merke dir

- Entscheidend für eine gute Bewertung einer Übung ist eine korrekte Technik, verbunden mit einer sicheren Ausführung.

3.2 Voltigierabzeichen VA 4
Praktische Anforderungen: acht Übungen im Galopp

Worauf kommt es bei diesen Übungen an?

<u>1. Block</u>

■ **1. Aufsprung**

Das ist wichtig

Nach dem beidbeinigen Absprung vom Boden beugst du deine Hüfte, sodass dein Becken möglichst hoch über das Pferd kommt. Schwinge das gestreckte rechte Bein weit nach oben. Sitze unmittelbar hinter dem Gurt weich ein und richte dich auf.

■ **2. Freier Grundsitz**

Das ist wichtig

Sitze ausbalanciert auf dem ganzen Gesäß in der Bewegung des Pferdes.
Achte auf eine aufrechte Körperhaltung und angelegte Unterschenkel.

■ **3. Bank-Fahne**

Das ist wichtig

Um die Fahne im Gleichgewicht und mit Körperspannung halten zu können, müssen sich deine Schultern über dem Gurt befinden. Dein linkes Stützbein muss ganz auf dem Pferderücken aufliegen.
Achte darauf, dass deine Hüfte gerade bleibt (Bewegungsweite im Hüftgelenk).

3

■ 4. Liegestütz mit Abgang nach außen

Das ist wichtig

Stütze dich auf beide Arme, behalte die Ganzkörperspannung beim Liegestütz bei. Baue die Übung ab, indem du die Hüfte zuerst stark beugst und dann die gestreckten Beine öffnest. Gleite weich direkt am Gurt in den aufrechten Sitz.

*Achte beim **Abgang nach außen** ebenfalls auf die Körperspannung, wenn du dich von den Griffen abdrückst. Lande korrekt und federnd und laufe in der Bewegungsrichtung des Pferdes aus.*

2. Block

■ 5. Quersitz innen und außen

Das ist wichtig

Sitze ausbalanciert auf dem ganzen Gesäß (mit Blick nach innen oder außen) in der Bewegung des Pferdes. Achte auf eine aufrechte Körperhaltung.

6. Freies Knien

Das ist wichtig

Knie im Gleichgewicht in der Bewegung des Pferdes. Die Unterschenkel und Füße müssen auf dem Pferderücken flach aufliegen und schaue geradeaus.
Zur aufrechten Körperhaltung gehört auch die Hüftstreckung.

7. Stütz-Abhocken nach innen

Das ist wichtig

Du drückst kräftig mit beiden Unterschenkeln aus der Bank ab. Verlagere dein Gewicht auf die Arme und drücke fest nach innen ab.

8. Landung

Das ist wichtig

Lasse die Griffe frühzeitig los. Lande auf der Innenseite des Pferdes gleichzeitig auf beiden Füßen.
Federe die Landung mit den Knien ab und laufe sofort nach vorne aus.

3.3 Voltigierabzeichen VA 3
Praktische Anforderungen: sieben Übungen im Galopp

Worauf kommt es bei diesen Übungen an?

1. Block

■ **1. Aufsprung**

Das ist wichtig
Beuge deine Hüfte nach dem beidbeinigen Absprung vom Boden, sodass dein Becken möglichst hoch über das Pferd kommt. Schwinge das gestreckte rechte Bein weit nach oben. Sitze unmittelbar hinter dem Gurt weich ein (SIEHE FOTO VA 4).

■ **2. Freier Grundsitz**

Das ist wichtig
Sitze ausbalanciert auf dem ganzen Gesäß in der Bewegung des Pferdes. Achte auf eine aufrechte Körperhaltung (SIEHE FOTO „GRUNDSITZ" VA 4).

■ **3. Halbe Mühle**

1. Phase: Vom Grundsitz vorwärts über den Pferdehals zum Innenquersitz

2. Phase: Vom Innenquersitz über die Kruppe zum Rückwärtssitz

Das ist wichtig
Sitze ausbalanciert auf dem ganzen Gesäß in der Bewegung des Pferdes. Achte auf eine aufrechte Körperhaltung und drehe den Oberkörper in der Bewegung mit.
Achte darauf, dass nur die 1. Phase der halben Mühle im Vierertakt erfolgen muss.

■ 4. Stützschwung rücklings, Abgang aus dem Rw-Sitz nach innen

Das ist wichtig

Schwinge aus der Bogenspannung schnell-kräftig aufwärts. Die Beine bleiben schulter-breit geöffnet. Rücken und Gesäß sollen sich parallel über dem Pferderücken befinden. Stütze die Schwungbewegung mit beiden Ar-men ab.

Achte beim Abgang nach innen auf die Kör-perspannung, wenn du dich von den Griffen abdrückst. Lande korrekt und federnd und laufe in der Bewegungsrichtung des Pferdes aus.

2. Block

■ 5. Fahne

Das ist wichtig

Um die Fahne im Gleichgewicht und mit Kör-perspannung halten zu können, müssen sich deine Schultern über dem Gurt befinden. Dein linkes Stützbein muss ganz auf dem Pferderü-cken aufliegen. Strecke zuerst das rechte Bein und danach den linken Arm aus.

Achte darauf, dass deine Hüfte gerade bleibt (Bewegungsweite im Schulter- und Hüftge-lenk).

■ 6. Stehen

Das ist wichtig

Stehe im Gleichgewicht in der Bewegung des Pferdes auf den ganzen Fußsohlen. Bleibe in einer aufrechten Haltung stehen und federe in Knie- und Fußgelenken mit.

■ 7. Stützschwung vorlings mit Wende nach innen

Das ist wichtig für den Stützschwung
Du holst schnellkräftig mit beiden Beinen Schwung und schwingst dann mit gestreckter Hüfte und Ganzkörperspannung aufwärts und schließt die Beine. Dann gleitest du wieder weich in den Sitz vorwärts.

Das ist wichtig für die Wende
Nun holst du wieder kräftig Schwung, schwingst gestreckt aufwärts und schließt die Beine. Strecke die Arme und drücke dich frühzeitig nach innen von den Griffen weg. Achte auf eine korrekte, federnde Landung.

3.4 Voltigierabzeichen VA 2 und VA 1 Praktische Anforderungen: jeweils sieben Übungen im Galopp

Worauf kommt es bei diesen Übungen an?

■ **1. Aufsprung**
 (Fortgeschrittene Aufsprungtechnik)

Das ist wichtig
Spring kräftig ab und stütze dich auf deine Arme, sodass du eine möglichst große Höhe erreichst. Sitze unmittelbar hinter dem Gurt weich ein.

■ **2. Freier Grundsitz**

Das ist wichtig
Sitze ausbalanciert auf dem ganzen Gesäß in der Bewegung des Pferdes. Achte auf eine aufrechte Körperhaltung (SIEHE FOTO „GRUNDSITZ" VA 4).

■ **3. Fahne**

Das ist wichtig
Um die Fahne im Gleichgewicht und mit Körperspannung halten zu können, müssen sich deine Schultern über dem Gurt befinden. Dein linkes Stützbein muss ganz auf dem Pferderücken aufliegen. Achte darauf, dass dein Schultergürtel und deine Hüfte gerade bleiben (Bewegungsweite im Schulter- und Hüftgelenk) und eine korrekte Oberlinie des Körpers von der Hand zum Fuß besteht.

■ 4. Mühle

1. Phase: vom Grundsitz vorwärts über den Pferdehals zum Innenquersitz
2. Phase: vom Innenquersitz über die Kruppe zum Rückwärtssitz
   (SIEHE FOTOS „HALBE MÜHLE" VA 3)
3. Phase: vom Rückwärtssitz über die Kruppe zum Außenquersitz
4. Phase: vom Außenquersitz über den Pferdehals wieder zum Grundsitz

3. Phase

Das ist wichtig

Drehe dich immer ausbalanciert im Vierer-takt und bleibe dabei auf dem ganzen Gesäß sitzen.

Achte auf eine aufrechte Haltung sowie hohe und weite Bewegungen der Beine.

4. Phase

■ 5. Schere

Vorwärtsschere

Rückwärtsschere

Das ist wichtig

Entscheidend für die Höhe sind die korrekte Schwungtechnik für die richtige Koordination der Schwung- und Scherbewegung. Vollende die Drehung und achte auf eine weiche, kontrollierte Landung auf dem Pferd.

■ 6. Stehen

Das ist wichtig
Stehe im Gleichgewicht in der Bewegung des Pferdes auf den ganzen Fußsohlen. Bleibe in einer aufrechten Haltung stehen und federe in den Knie- und Fußgelenken mit.

■ 7. Für das VA 2: Flanke 1. Teil, danach aus dem Sitz vorwärts mit Wende nach außen

Das ist wichtig
Für den 1. Teil schwingst du mit beiden Beinen gestreckt aufwärts. Am höchsten Punkt beugst du die Hüfte und gleitest in den Innenseitsitz (Foto links unten). Nun führst du das rechte Bein über den Pferdehals zum Sitz vorwärts. Für die Wende schwingst du gestreckt aufwärts und drückst dich nach außen von den Griffen ab (Foto rechts unten).
Achte auf eine korrekte, federnde Landung.

Flanke 1. Teil

Flanke 2. Teil/Wende nach außen

■ 8. Für das VA 1: Flanke 1. und 2.Teil

Das ist wichtig
Du schwingst mit beiden Beinen gestreckt aufwärts. Am höchsten Punkt beugst du die Hüfte und gleitest in den Innenseitsitz.

Das ist wichtig
Du schwingst aus dem Innenseitsitz mit geschlossenen Beinen aufwärts. Strecke die Arme und drücke frühzeitig nach außen von den Griffen weg.
Achte auf eine korrekte, federnde Landung.

So gelingt die praktische Prüfung

Dein Ziel ist es, alle erforderlichen Übungen so gut und sicher zu beherrschen, dass du auch ruhig und gelassen in die Prüfung gehen kannst. Dazu gehört, dass du die richtige **Bewegungsvorstellung** – also ein Idealbild der richtigen Technik und Ausführung jeder einzelnen Voltigierübung – im Kopf hast und die Hauptkriterien kennst, die in Kapitel 3 unter den Punkten **„Das ist wichtig"** schon erklärt wurden.

Richtig üben und trainieren
Nichts geht über die praktische Übung! Du lernst und trainierst in den regelmäßigen Voltigierstunden unter Anleitung eures Voltigierausbilders alle erforderlichen Übungen für das jeweilige Abzeichen. Durch zusätzliche Übungsstunden machst du noch schnellere Fortschritte. Das regelmäßige Üben und Trainieren gibt dir mehr Sicherheit und Selbstvertrauen!

Wichtig

- *Übe den Bewegungsablauf jeder einzelnen Übung auch öfters auf dem Übungspferd (SIEHE KAPITEL 5.6). Lasse dich dabei von deinem Ausbilder oder erfahrenen Voltigierern korrigieren.*
Halte dich auch durch Zusatztraining und Gymnastik fit (SIEHE KAPITEL 4.2)!

Du gehst auf Nummer sicher, wenn du die statischen Übungen fünf oder sechs Galoppsprünge lang trainierst. Dann wird es dir leichter fallen, die verlangten vier Galoppsprünge bei der Prüfung durchzuhalten. Wenn du so weit bist, dass du jede einzelne Voltigierübung sicher auf dem Pferd ausführen kannst, musst du lernen, die einzelnen Übungen flüssig miteinander zu verbinden.

Zuerst musst du deine groben Fehler, die Hauptfehler (z.B. falsche Technik beim Schwungholen zum Stützschwung) und dann erst die kleineren Fehler (z.B. krumme Fußspitzen) verbessern. Ist einmal der Hauptfehler beseitigt, werden meist die damit zusammenhängenden Folgefehler verbessert.

Mit dem richtigen Training auf dem Pferd und dem Übungspferd sowie mit regelmäßigem Üben wirst du dein **Bewegungsgefühl** auf dem Pferd sowie deine Übungsausführung immer weiter verbessern. Du entwickelst eine genaue Bewegungsvorstellung der Übungen und lernst deine Ausführung selbst einzuschätzen: Was ist dir gut gelungen und was kannst du noch besser machen?

Bespreche deine Leistungen stets mit deinem Ausbilder.

Nur mit einer guten und sicheren Ausführung, der richtigen Bewegungstechnik und der notwendigen **Konzentration** wird es dir gelingen, die Voltigierübungen im entscheidenden Augenblick klar und sicher vorzuführen. Für deine Abzeichenprüfung heißt es also, fleißig zu üben und so viel wie möglich über das Voltigieren zu lernen!

Merke dir

- Du kannst mehr darüber lernen, wie du richtig und abwechslungsreich üben und trainieren kannst, wenn du auch gute Lehrbücher zurate ziehst und Lehrgänge besuchst. Sieh dir auch Videos von guten Voltigierern an. Oder noch besser: Schau den Könnern beim Training oder bei einem Turnier zu!

4.1 Tipps für die praktische Prüfung

Achte darauf, dass

- du stets eine korrekte, aufrechte Körperhaltung beibehältst, richte dich in allen Sitz- und Zwischenphasen immer auf und nimm den Kopf hoch;
- du die Beine streckst, weich im Galopprhythmus des Pferdes voltigierst und dem Pferd nicht in den Rücken fällst;
- du jede statische Voltigierübung mindestens vier Galoppsprünge aushältst – besser sogar fünf oder sechs Galoppsprünge; sie wirken dann viel sicherer – bei einer Abzeichenprüfung läuft nämlich keine Stoppuhr mit;

- du die einzelnen Übungen ohne Verzögerungen flüssig miteinander verbindest und nach den Abgängen weich landest;
- du besonders vorsichtig an den Stellen des Voltigierzirkels bist, wo euer Pferd vor etwas scheut. Baue dort keine Übungen auf!

Und wenn etwas schief geht ...?

Bleibe ruhig, wenn dir eine Übung misslingt! Konzentriere dich sofort auf die nächste Übung und mache einfach weiter. Wenn du die erforderliche Wertnote einer Pflichtübung für das **VA 4 oder VA 3** nicht erreichst, ist nicht alles verloren, denn du **bekommst noch eine Chance!** Die Richter werden dir die Möglichkeit geben, diese eine Übung einmal zu wiederholen. Am Ende der praktischen Prüfung wirst du erfahren, welche Übung das ist. Du musst nur noch diese Übung zeigen und dabei nicht den ganzen Übungsblock wiederholen. Wenn zu dieser Übung kein Abgang gehört, dann kannst du einen beliebigen Abgang wählen.

Reicht dein Notendurchschnitt für **VA 2 oder VA 1** nicht aus, dann kannst du selbst wählen, welche Übung du noch einmal zeigen möchtest, um den verlangten Notendurchschnitt zu erlangen.

Sei zuversichtlich, bei der Wiederholung klappt es dann bestimmt!

Prüfe dich selbst!

- ☐ *Kennst du alle Übungen genau für dein geplantes Abzeichen?*
- ☐ *Kennst du den richtigen Bewegungsablauf, die korrekte Technik und die Hauptkriterien jeder Übung?*
- ☐ *Warum musst du zuerst deine Hauptfehler vor den kleineren Fehlern verbessern?*
- ☐ *Weißt du, wo du die Bewertung und die Abzüge für die Fehler der einzelnen Pflichtübungen nachlesen kannst?*

4.2 Fit für die praktische Prüfung

Wenn du die praktische Prüfung erfolgreich meistern möchtest, musst du körperlich fit sein. Neben der Aufwärmgymnastik (SIEHE KAPITEL 3.2) solltest du genügend Zeit für ein **regelmäßiges Zusatztraining** einplanen. Förderlich ist jede zusätzliche sportliche Betätigung zur Verbesserung von Kondition, Koordination, Beweglichkeit und Kraft. Viele andere Sportarten eignen sich zur Ergänzung deines Trainings und zum Ausgleich.

Das Zusatztraining wirkt sich auch vorteilhaft aus, wenn du an Turnieren teilnehmen möchtest. Je besser du trainiert bist, desto besser und schneller werden dir auch die Voltigierübungen gelingen. Nur so kannst du gute sportliche Leistungen vollbringen und weich und rücksichtsvoll voltigieren. Euer Voltigierpferd wird es euch danken, wenn alle fit und beweglich sind. Die folgenden Fragen und Antworten geben dir wichtige Hinweise, wie du dich optimal für die praktische Prüfung vorbereiten kannst. Gleichzeitig können dir solche Fragen natürlich auch in der theoretischen Prüfung gestellt werden.

Warum ist das körperliche Training für das Voltigieren so wichtig?

- Weil ein allgemeines vielseitiges Training notwendig ist, um für das Voltigieren die erforderlichen turnerischen-gymnastischen Grundlagen zu erwerben.
- Weil ein regelmäßiges Konditionstraining zur Verbesserung der Ausdauer führt, die du für das Voltigieren brauchst. Je mehr Ausdauer du besitzt, desto besser ist dein Durchhaltevermögen im Training und Turnier!
- Durch ein spezielles Zusatztraining werden alle für das Voltigieren notwendigen Fähigkeiten verbessert: Haltung, Körperspannung, Stütz- und Sprungkraft, Beweglichkeit, Reaktionsschnelligkeit, Koordination, Gleichgewicht und Rhythmusgefühl.

Dehnübungen

Bewegungskorrektur

Welche koordinativen Fähigkeiten sind im Voltigiersport besonders wichtig?

Besonders wichtig sind die Anforderungen an das Balancevermögen. Deshalb ist die Gleichgewichtsfähigkeit von großer Bedeutung. Je besser du das Gleichgewicht auf dem Pferd halten kannst, desto sicherer werden dir die einzelnen Übungen gelingen. Mit einem ausgeprägten Gleichgewichtsgefühl bist du auch in der Lage, Unregelmäßigkeiten im Galopp auszugleichen, schwierigere und höhere Übungen wie z.B. Schulterstand, Standwaagen sicher auszuführen.

Du brauchst ein gutes Rhythmusgefühl, um alle Übungen in Harmonie mit dem Pferd auszuführen und dich bei Partnerübungen mit den anderen Voltigierern abzustimmen.

Für alle Voltigierer ist ein schnelles Reaktionsvermögen nötig. Sie müssen den Fliehkräften entgegenwirken, sich stets auf wechselnde Gleichgewichtsbedingungen einstellen und in der Lage sein, blitzschnell auf Unregelmäßigkeiten in Tempo und Rhythmus des Pferdes zu reagieren.

Wie kannst du deine Leistungen verbessern und deine Schwächen beheben?

Die Ursachen von Ausführungs- und Technikfehlern liegen meist an den mangelnden körperlichen Voraussetzungen. Die knappe Zeit mit einer Aufwärmgymnastik vor der Voltigierstunde reicht für eine Verbesserung beim Voltigieren selbstverständlich nicht aus.

Wenn dir eine Übung einfach nicht richtig gelingen will, überlege dir, woran es liegen könnte. Mit einem speziellen auf dich abgestimmten Trainings- und Gymnastikprogramm, das dir dein Trainer zusammenstellt, kannst du gezielt an deinen Schwächen arbeiten. Je gezielter du die entsprechenden Muskelgruppen kräftigst und dehnst sowie deine Beweglichkeit verbesserst, desto sicherer werden dir im Laufe der Zeit die Voltigierübungen gelingen. Dazu musst du noch nicht auf dem Voltigierpferd trainieren!

Welches Zusatztraining wird dir weiterhelfen?

Ein Zusatztraining lässt sich am Boden, am Übungspferd und – wenn möglich – in der Turnhalle durchführen. Vergiss aber niemals das Aufwärmen! Außerdem kannst du dich außerhalb der Voltigierstunden zu Hause mit einem eigenen Gymnastikprogramm vorbereiten. Am meisten Erfolg wirst du haben, wenn du es regelmäßig durchführst. Du wirst sehen, dass du so die Anforderungen bei der praktischen Voltigierabzeichen-Prüfung leichter schaffen kannst!

Kräftigungsübungen

Wo liegen die Schwerpunkte einer speziellen Voltigiergymnastik?

Dein Ausbilder kann dir sicher zeigen, welche speziellen Dehn- und Kräftigungsübungen sich für die unterschiedlichen Voltigierübungen besonders eignen. Versuche einmal Koordinations- und Balanceübungen mit geschlossenen Augen durchzuführen und dich ganz auf die Übung zu konzentrieren. Du wirst sehen, dass du so dein Körper- und Gleichgewichtsgefühl wesentlich verbessern kannst!

Gleichgewichtsübungen

Prüfe dich selbst!

❏ *Welche speziellen körperlichen Fähigkeiten brauchst du für das Voltigieren?*
❏ *Kennst du die Schwerpunkte einer Voltigiergymnastik?*
❏ *Warum ist ein Zusatztraining erforderlich?*
❏ *Welches spezielle Training kannst du durchführen, um deine eigenen Leistungen zu verbessern?*

5

Voltigierlehre: Theoretisches Voltigierwissen

5.1 Die Voltigierübungen

Die Zahl der Voltigierübungen ist nahezu unerschöpflich. Aus wenigen Grund- und **Einzelübungen** können viele neue Variationen und Übungsverbindungen entwickelt werden. Mit zwei oder drei Voltigierern gibt es eine Vielfalt von Partnerübungen mit weiteren Kombinations- und Variations-möglichkeiten. Zur Übersicht wurden die Übungselemente in verschiedene Rubriken eingeteilt.

Wie sind die Voltigierübungen geordnet?

Voltigierübungen werden in dynamische und statische Übungs-formen eingeteilt. Sie umfassen Einzel-, Doppel- und Dreierübun-gen sowie Pflicht- und Kürübungen aus verschiedenen Übungs-kategorien, sogenannten Strukturgruppen.

Erkläre, was man unter einer dynamischen Übung versteht.

Eine Übung, bei der sich der Voltigierer in Bewegung befindet. Während des Bewegungsablaufs verändern sich Haltung, Position und damit auch der Körperschwerpunkt des Voltigierers. Bei-spiele für dynamische Übungsformen sind Aufsprünge, Abgänge, Schwünge wie Schere und Flanke.

Was ist eine statische Übung?

Eine statische Übung wird über eine bestimmte Zeit ruhig ausgehalten; z.B. bei den Pflichtübungen über vier Galoppsprünge. Der Voltigierer verändert dabei seinen Körperschwerpunkt in Bezug auf das Pferd nicht. Beispiele für statische Übungen sind Stehen, Knien, Liegestütz und Fahne.

Merke dir

- Du musst zwischen dynamischen und statischen Übungen sowie Pflicht- und Kürübungen un-terscheiden können. Die Turnierregeln verlangen, dass statische Pflichtübungen mindestens vier und statische Kürübungen mindestens drei Galoppsprünge ausgehalten werden müssen. Mehr über die Bewertung von Pflicht- und Kürübungen in den Kapiteln 5.6 und 5.7.

Was sind Pflichtübungen und welchen Zweck haben sie?

Pflichtübungen sind für den Turniersport im Aufgabenheft Voltigieren vorgeschriebene Übungen mit einer festgelegten Reihenfolge. Sie haben einen genau beschriebenen Bewegungsablauf. Bei jeder Pflichtübung werden bestimmte Grundfertigkeiten und körperliche Fähigkeiten geprüft. In den Turnierregeln gibt es für jede Klasse verschiedene Pflichtübungen.

Wodurch unterscheiden sich Kürübungen von Pflichtübungen?

Alle Übungsteile, die im Turniersport nicht zur Pflicht der jeweiligen Leistungsklasse gehören, werden als Kürübungen bezeichnet. Sie können frei erfunden und gestaltet werden und umfassen frei gewählte Einzel-, Doppel- und Dreierübungen aus allen Strukturgruppen.

Was versteht man unter Strukturgruppen?

Ab VA 4

Die dynamischen und statischen Übungsformen werden in sogenannte Strukturgruppen eingeteilt (SIEHE AUFGABENHEFT VOLTIGIEREN UND RICHTLINIEN). Übungen mit ähnlichem Bewegungsablauf werden jeweils einer gleichen Strukturgruppe zugeordnet. Eine ausführliche Übersicht und Beschreibung der verschiedenen Strukturgruppen wie Stände, Schwünge usw. findest du in den Richtlinien, Band 3: Voltigieren.

Ordne Übungen in die richtige Kategorie und Strukturgruppe ein. Einige Beispiele:

Übung	Dynamische Übung	Statische Übung	Strukturgruppe
Aufsprung	x		Sprung
Stehen		x	Stand
Wende	x		Schwung
Schulterstand		x	Stand
Schere	x		Schwung
Mühle	x		Drehung
Rolle rückwärts	x		Drehung
Fahne		x	Waage
Knien		x	Knien
Flanke	x		Schwung

Finde Übungsbeispiele für die folgenden Strukturgruppen:

Strukturgruppe	Übungsbeispiel
Sitz	*Rückwärtssitz*
Stütz	*Liegestütz*
Knien	*Rückwärtsknien*
Waage	
Stand	
Hang	
Sprung	
Schwung	
Drehung	
Rolle	

5.2 Voltigierübungen richtig ausführen

Eine korrekte und genaue Ausführung bedeutet sicheres, ausbalanciertes Voltigieren in Harmonie mit dem Pferd. Dazu gehört eine korrekte Technik, ein flüssiger **Auf- und Abbau, harmonische Übergänge** (Bewegungsfluss) und eine große Bewegungsweite (Höhe und Weite in der Ausführung).

Wie gelingt es dir, während des Voltigierens möglichst viel Rücksicht auf das Pferd zu nehmen?
Durch eine **korrekte Technik und Ausführung** kannst du alle Übungen leichter und sicherer ausbalancieren und somit viel „pferdefreundlicher" voltigieren. Dazu musst du auch **körperlich fit** sein! Wenn du dein Gleichgewicht sicher auf dem Pferd halten kannst, wird es dir auch gelingen, weich auf die Bewegungen des Pferdes einzugehen und es nicht in seinem **Rhythmus** zu stören. Bedenke, dass Pferde in der Nierenpartie meist empfindlich sind. Deshalb musst du in dieser Körperregion besonders behutsam sein.

Welche Fehler musst du vermeiden, damit das Pferd nicht gestört wird?
- Alle **ruckartigen und harten Bewegungen**: ungenügendes Abfangen von Schwüngen, harte Landungen auf dem Pferd, z.B. nach einem Aufsprung, Stützschwung oder dem Stehen
- das Klammern beim Aufsprung oder anderen Übungen auf dem Pferd
- Knie, Fersen oder Zehen in den Pferderücken bohren
- bei der Übung Stehen: ungenügendes Mitfedern in den Knien, Hüpfen oder Schritte auf dem Pferd
- in den Ausbindern hängen bleiben
- längeres Stehen in den Griffen bei Kürübungen

Welches ist die wichtigste Fähigkeit, die du beim Voltigieren brauchst?
Ein ausgeprägtes Gleichgewichtsgefühl spielt für alle Voltigierübungen die wichtigste Rolle. Im Aufgabenheft Voltigieren wird dieses Hauptkriterium auch als **„Balance in der Bewegung des Pferdes"** bezeichnet.
Bei allen Übungen musst du dich immer wieder neu auf dem Pferd ausbalancieren, damit du das Gleichgewicht nicht verlierst. Doppel- und Dreierübungen erfordern besonders hohe Gleichgewichtsleistungen. Bei Stütz- und Hebeübungen müssen die tragenden Voltigierer nicht nur sich selbst, sondern gleichzeitig ihren Partner auf dem Pferd ausbalancieren können.

Ab VA 4

Was bedeutet der Körperschwerpunkt und welche Rolle spielt dieser im Voltigiersport?
Der Körperschwerpunkt ist ein **gedachter zentraler Punkt im Körper**. Für das Gleichgewicht beim Voltigieren spielt dieser eine entscheidende Rolle, weil die Schwerkraft bei jeder Bewegung dort ansetzt. Im aufrechten Stand mit herabhängenden Armen befindet sich der Körperschwerpunkt ungefähr in Hüfthöhe im Körperinneren. Jede Veränderung bzw. Bewegung des Körpers bringt eine veränderte Lage des Körperschwerpunktes mit sich.

Welche Übung ist die wichtigste Grundübung im Voltigieren und warum?

Ab VA 10

Jeder Voltigierer muss das Gleichgewicht auf dem Pferd halten können, ohne es zu stören. Ein korrekter, unabhängiger Sitz ist die Grundvoraussetzung für harmonisches Voltigieren. Deshalb ist der korrekte Grundsitz die wichtigste Gleichgewichts- und Haltungsübung, die jeder Voltigierer gleich zu Beginn lernen muss. Viele Voltigierübungen werden aus dieser Position aufgebaut.

Welche typischen Sitzfehler gibt es?

Haltungsfehler, Verkrampfungen und Gleichgewichtsmängel führen zu folgenden typischen Sitzfehlern:

- **Stuhlsitz:** Der Voltigierer zieht die Knie hoch und der Oberkörper hängt nach hinten.
- **Spaltsitz:** Der Voltigierer sitzt auf den Oberschenkeln und hängt nach vorne.
- **Schiefer Sitz:** Die Hüfte ist zur Seite eingeknickt.

Wie kannst du deine Körperhaltung und deine Balance verbessern?

Die korrekte **Körperhaltung** ist für alle Voltigierübungen erforderlich. Maßgeblich dafür ist die richtige Stellung des Beckens und eine gut trainierte Rumpfmuskulatur (Bauch-, Rücken-, Hüft- und Gesäßmuskulatur). Eine verkürzte, schwache Muskulatur ist die Ursache für die meisten Fehlhaltungen, wie z.B. Hohlkreuz oder Rundrücken. Deshalb musst du diese Muskelgruppen speziell kräftigen und dehnen. Verschiedene **Sitz- und Balanceübungen** helfen dir, dich in die Bewegungen des Pferdes besser einzufühlen und aufrecht, locker und unverkrampft zu voltigieren.

Warum ist Körperspannung beim Voltigieren so wichtig?

Körperspannung bedeutet, die Muskelanspannung des ganzen Körpers (insbesondere der Rumpf- und Beckenmuskulatur) über eine gewisse Zeit zu halten. Du spürst bestimmt, dass du deinen Körper leichter ausbalancieren kannst, wenn du deine **Körpermitte bewusst anspannst.** Wenn die Körperspannung verloren geht, wirst du schnell aus der Balance geraten. Dies kann sogar einen Sturz zur Folge haben. Bei dynamischen Übungen wie zum Beispiel den Schwungübungen (Wende, Schere, Flanke) musst du darauf achten, dass du während der Stützphase die Körperspannung nicht aufgibst. Nur so wird es dir gelingen, diese korrekt auszuführen und eine größere Höhe beim Aufwärtsschwung zu erreichen.

Was musst du über die Hauptkriterien der Voltigierübungen wissen?

Ab VA 4

Die wichtigsten technischen Merkmale, die zum Gelingen einer Übung ausschlaggebend sind, werden als „Hauptkriterien" bezeichnet. Wenn du diese kennst, wirst du besser verstehen, **worauf es bei jeder Übung ankommt** und auf welche Kriterien die Richter bei der Bewertung besonders achten. Die Hinweise *„Das ist wichtig"* bei jeder Übung in den Kapiteln 2 und 3 zeigen dir, was damit gemeint ist. Dabei wird dir auffallen, dass die für das Voltigieren typischen Kriterien bei vielen Übungen immer wieder vorkommen. Es ist klar, dass Übungen mit einem ähnlichen Bewegungsablauf die gleichen Hauptkriterien haben.

Was sind Technikfehler?

Wenn die Ausführung der Übung **grobe Mängel** aufweist und die Hauptkriterien der Übung nur mangelhaft erfüllt sind, spricht man von technischen Fehlern. Beispiele sind: Gleichgewichtsmängel beim Stehen oder falsche Schwungtechnik beim Stützschwung.

* Du findest die Übungsbeschreibungen mit den Hauptkriterien in den Richtlinien, Band 3: Voltigieren und im Aufgabenheft Voltigieren. In den Kapiteln 5.6 und 5.7 werden dir Fragen zur Beurteilung und Bewertung von Pflicht- und Kürübungen beantwortet.

Ab VA 10

Welche Grundgriffe gibt es beim Voltigieren und wie sehen diese aus?

* **Ristgriff**: Der Handrücken zeigt nach oben, die Finger zeigen nach unten.
* **Kammgriff**: Die Handinnenseite und die Finger zeigen nach oben.
* **Zwiegriff**: Die Handinnenseite der einen Hand und der Handrücken der anderen Hand zeigen nach oben.

Was müsst ihr beim Aufbau von Partnerübungen beachten?

Alle Partnerübungen müssen technisch korrekt und gut abgestimmt ausgeführt werden:

* Baut die Übungen zügig, aber nicht zu hastig auf!
* Konzentriert euch auf das Pferd und eure/n Partner und übernehmt Verantwortung füreinander.
* Achtet stets auf eine aufrechte Haltung, besonders wenn ihr einen anderen Voltigierer heben, stemmen und tragen müsst.
  Balanciert die Übungen sorgfältig in der Bewegung des Pferdes aus und baut sie sauber und weich wieder ab.

* Mit einer korrekten aufrechten Körperhaltung und einer gut trainierten Rumpfmuskulatur kannst du am besten die Belastungen bei Stütz- und Hebeübungen abfangen und damit gesundheitliche Probleme vermeiden.

Beschreibe, wie ihr Stütz- und Hebeübungen korrekt ausführt!

Bei Stütz- und Hebeübungen werden **hohe Anforderungen an Gleichgewicht, Körperspannung und Beweglichkeit** gestellt. Wenn du die Position eines „Untermannes" einnimmst, ist die korrekte Körperhaltung und -spannung besonders wichtig. Um Überbelastungen und Rückenschäden zu vermeiden, musst du auf eine gerade Rückenhaltung achten.

Prüfe dich selbst!

☐ *Kennst du die Einteilung der Voltigierübungen in verschiedene Strukturgruppen?*

☐ *Erkläre den Unterschied zwischen statischen und dynamischen Übungen.*

☐ *Weißt du, wie du rücksichtsvoll voltigieren kannst?*

☐ *Welche Kriterien gehören zu einer korrekten Ausführung?*

☐ *Was versteht man unter Hauptkriterien von Voltigierübungen und warum sind diese wichtig?*

☐ *Warum ist der Grundsitz die wichtigste Voltigierübung?*

☐ *Wie baut ihr Partnerübungen richtig auf und wieder ab?*

☐ *Auf was müsst ihr achten, damit ihr Stütz- und Hebeübungen korrekt ausführt?*

5.3 Der Voltigierunterricht

Eine **harmonische Zusammenarbeit aller Voltigierer** mit ihrem Ausbilder und ihrem Pferd bildet die wichtigste Grundvoraussetzung für einen erfolgreichen Voltigierunterricht. Eine Voltigierstunde unterscheidet sich von anderen Sportstunden, denn sie beginnt schon mit der **Vorbereitung des Pferdes** vor dem eigentlichen Unterricht und endet erst nach der Versorgung des Pferdes. Damit dir der Voltigierunterricht Spaß macht und ohne Unfälle abläuft, musst du einige **Verhaltens- und Sicherheitsregeln** beachten. Wenn du schon einige Zeit voltigierst und regelmäßig an den Voltigierstunden teilgenommen hast, wird es dir bestimmt nicht schwer fallen, die folgenden Fragen zu beantworten und dein Wissen auch in der Praxis anzuwenden.

Was gehört alles zum Voltigierunterricht?
- das Voltigierpferd mit Ausrüstung (SIEHE KAPITEL 6.6)
- der Trainer/Longenführer und möglichst ein Helfer
- die Voltigierer bzw. die Voltigiergruppe mit richtiger Kleidung
- ein geeigneter Übungsplatz
- ein Übungspferd aus Holz oder Metall und andere Kleingeräte

Zu einem guten Voltigierunterricht gehört auch, den Umgang mit dem Pferd und die Pferdepflege (vergleiche Kapitel 6.2 und 6.5) zu erlernen. In Theoriestunden werden dir Kenntnisse über die Pferdekunde und das Voltigieren vermittelt. Das Aufwärmen zu Beginn der Voltigierstunde, ein gymnastisches Zusatztraining, das Training am Übungspferd sowie das Einhalten von Verhaltens- und Sicherheitsregeln sind weitere Bestandteile eines guten Voltigierunterrichts.

Ab VA 4

Was sind die Aufgaben des Helfers beim Voltigieren?
Es ist eine große Hilfe und Entlastung für den Ausbilder, wenn ein geschulter Helfer bei der Vorbereitung des Pferdes, dem Aufwärmen der Gruppe und anderen Zusatzaufgaben zur Verfügung steht. Diese sind: Hilfestellung für Anfänger am Pferd, Beaufsichtigung der Voltigierer und Sicherheitsstellung am Übungspferd, Korrekturen von außerhalb des Zirkels.

Wie muss ein geeigneter Voltigierplatz beschaffen sein (Größe, Boden)?
Der Durchmesser eines Übungsplatzes sollte mindestens 20 m betragen, damit bei einem 15 m großen Zirkel ein ausreichender Sicherheitsabstand zur Umgrenzung besteht. Stangen, Übungsgeräte und andere feste Gegenstände müssen sich in einem sicheren Abstand zur Zirkellinie befinden. Bei überdachten Plätzen sollte die lichte Höhe mindestens 5 m betragen. **Ein geeigneter Boden ist für die Gesundheit der Voltigierer eine wichtige Grundvoraussetzung**, vor allem wegen der Belastung der Gelenke bei den Landungen. Dieser muss eben (ohne Steine und Löcher), federnd und trittfest sein. Der Boden darf also weder zu tief noch zu fest sein.

Beschreibe die richtige Kleidung für das Voltigieren! Ab VA 10

Dazu gehört:

- Eine bequeme, **eng anliegende, elastische, pflegeleichte Kleidung**: Gymnastikhose, T-Shirt, Pulli oder ein Gymnastikanzug. Jegliche Kleidung, mit der man leicht hängen bleiben kann, kann eine Gefahr darstellen. Ungeeignet sind auch rutschige, weite oder zu enge Kleidungsstücke. Mit einer zu weiten Kleidung sind Ausführungsfehler schwer zu erkennen, während eine zu enge Kleidung bei Partnerübungen unzweckmäßig ist, da man sich nicht daran festhalten kann.

- **Gymnastikschuhe** (am besten spezielle Voltigierschuhe) für einen guten Halt auf dem Pferd mit weichen, rutschfesten Sohlen. Feste Sportschuhe sind zu schwer und haben zu harte und profilierte Sohlen, sodass man dem Pferd damit wehtun kann. Außerdem lassen sich die Füße damit nicht strecken.

- Ein warmer **Trainingsanzug** zum Überziehen bei kalter Witterung und dicke Socken, damit der Körper nicht so schnell auskühlt.

Woran musst du vor der Voltigierstunde für deine Sicherheit noch denken?

Aus Sicherheitsgründen bindest du deine Haare zusammen und legst jeglichen Schmuck ab. Uhren und Armbänder sind vor allem bei Aufsprüngen und Partnerübungen hinderlich. Lange Ohrringe können ausreißen! Außerdem findet sich verlorener Schmuck in einer Reithalle so gut wie nie wieder! Klebe Piercings und Ohrringe ggf. mit Pflaster zu. Achte auf kurze Fingernägel, denn ihr könntet euch gegenseitig verletzen. Kaue während der Übungsstunde niemals Kaugummi oder Bonbons!

Was zeichnet eine sympathische, kameradschaftliche Voltigiergruppe aus?

- Fürsorge und Rücksichtnahme gegenüber dem Pferd
- Höflichkeit und Respekt gegenüber dem Longenführer und anderen Vereinsmitgliedern
- Disziplin, Hilfsbereitschaft und gute Zusammenarbeit beim Unterricht
- ein freundlicher Umgangston untereinander
- ein guter Zusammenhalt (Keiner lässt seine Gruppe beim Training für einen Turnierstart oder eine Schaunummer im Stich.)
- Fairplay auch anderen Gruppen und Voltigierern gegenüber

Welche Aufgaben sind vor der Übungsstunde zu erledigen?

Wenn du Pferdedienst hast, kommst du mindestens **eine halbe Stunde früher** und hilfst bei der Vorbereitung des Pferdes mit: Das Pferd wird geputzt, die Hufe werden ausgekratzt, Decke und Gurt aufgelegt. Der Gurt wird vorerst nur leicht angezogen. Bandagen oder Gamaschen werden angelegt. Dann wird das Pferd aufgetrenst und zum Übungsplatz geführt. Vergesst nicht, den Gurt fest anzuziehen, bevor ihr mit dem Voltigieren beginnt!

Merke dir

- Verhalte dich auf der gesamten Anlage allezeit ruhig und besonnen. Vermeide laute Geräusche und hektische Bewegungen, damit Pferde und Reiter nicht gestört werden.

Wie verhältst du dich richtig, wenn du die Reithalle betrittst?

Du kennst und beachtest die **Bahnordnung**. Du rufst immer zuerst laut „Tür frei bitte". Wenn du die Antwort „Tür frei" erhältst, öffnest und schließt du möglichst ruhig die Hallentür. Öffne die Türen immer ganz, damit sie nicht zurückschlagen und das Pferd sich erschrecken oder daran hängen bleiben kann! Nun beobachtest du, was in der Halle vor sich geht und achtest darauf, dass du andere in der Halle nicht störst. Halte den Hufschlag stets frei!

Warum ist ein intensives Aufwärmtraining vor der Übungsstunde unbedingt notwendig?
Wie führt ihr das Aufwärmen durch?

Die Voltigierstunde beginnt immer mit einem **Aufwärmprogamm** von etwa 10–15 Minuten. In dieser Zeit wird das Pferd ablongiert. Das Aufwärmen dient zur Vorbereitung der Voltigierer auf die sportlichen Anforderungen im Hauptteil der Übungsstunde. Der **Kreislauf** wird angeregt und die **Muskeln** werden besser durchblutet. Sie werden geschmeidiger und reagieren schneller. Dadurch wird euer Körper leistungsbereiter und das **Verletzungsrisiko verringert** sich. So klappen die Übungen auf dem Pferd besser.

Ideal ist es, wenn ein Helfer die Aufwärmgymnastik mit euch durchführt. Achtet aber unbedingt auf einen ausreichenden **Sicherheitsabstand** zum Voltigierzirkel. Ihr beginnt mit einer allgemeinen Erwärmung des ganzen Körpers. Laufen, Hüpfen und Springen, Spielen oder ein kleiner Tanz bringen euch richtig in Schwung! Danach folgen Dehnübungen und Kräftigungsübungen für Arme, Beine und den Rumpf. Führt das Aufwärmen mindestens zehn Minuten durch. Ihr solltet dabei ins Schwitzen kommen, aber noch nicht müde werden.

Nenne die wichtigsten Verhaltensregeln während der Voltigierstunde!

Es hängt auch von dir und der Zusammenarbeit mit deiner Gruppe ab, wie oft du aufs Pferd kommst und wie viel du in einer Voltigierstunde lernst. Eine gewisse Disziplin ist für einen reibungslosen und sicheren Unterricht unerlässlich. Wichtig ist, dass du regelmäßig und pünktlich zu den Voltigierstunden kommst.

- Um ein zügiges Üben zu ermöglichen und Unfälle zu vermeiden, müssen alle Voltigierer **konzentriert im Unterricht** mitmachen und den Anweisungen des Ausbilders folgen. Hört den Erklärungen des Ausbilders immer aufmerksam zu, damit dieser nicht alles mehrmals erklären muss!
- Der Longenführer muss sich im Unterricht gleichzeitig um das Longieren des Pferdes kümmern. Damit er dabei nicht gestört wird, dürfen sich nicht mehr als drei Voltigierer gleichzeitig in der Zirkelmitte befinden. Du redest nicht mit dem Longenführer, wenn er gerade andere Voltigierer korrigiert.
- Wenn du während der Voltigierstunde dringend zur Toilette musst, gibst du deinem Ausbilder Bescheid, denn er hat die Aufsichtspflicht.

Wo stehst und wartest du, bis du an der Reihe bist?

Du stehst bei den anderen Voltigierern außerhalb des Zirkels und hältst genügend Abstand zur Zirkellinie. Von deinem Platz läufst du in ausreichendem Abstand hinter dem Pferd zügig in die Zirkelmitte und stellst dich dann neben dem Longenführer auf. Denke daran: **Laufe niemals vor dem Pferd in den Zirkel!**

Wie läufst du von deinem Standort neben dem Longenführer ans Pferd?

Achte darauf, dass du **zügig anläufst** und im Tempo und Takt des Pferdes mitkommst, sodass du vorne am Pferd **auf der Höhe des Voltigiergurtes** ankommst. Damit das Pferd nicht unnötig ohne Voltigierer geht, musst du ans Pferd anlaufen, wenn der vor dir Übende zum Abgang ansetzt. Dadurch wird Zeit gespart und jeder kommt öfter in der Stunde dran.

Merke dir

- Wer ständig seinen Einsatz verpasst oder seine Aufgabe auf dem Pferd nicht kennt, verzögert den ganzen Unterricht und verhält sich unkameradschaftlich!

Wie kann jedes Gruppenmitglied dazu beitragen, dass die Voltigierstunde möglichst zügig abläuft?

Ihr könnt lange Wartezeiten vermeiden, wenn jeder immer weiß, wann er an der Reihe ist und rechtzeitig zum Pferd läuft. Ihr müsst wissen, **welche Übung gerade dran ist**, um eine Aufgabe auf dem Pferd zügig zu beginnen. Dazu müsst ihr stets aufmerksam beobachten, was auf dem Pferd geschieht. Jeder ist auf dem Pferd voll konzentriert und verschwendet keine Übungszeit, damit das Pferd nicht unnötig lange gehen muss. Ihr geht korrekt und zügig vom Pferd ab und lauft wieder direkt zu eurem Platz.

Was ist nach der Voltigierstunde noch zu tun?

- Nach dem Training schnallst du sofort die Ausbindezügel aus, lockerst den Gurt oder nimmst ihn gleich ab.
- **Eine Voltigierstunde endet erst, nachdem das Pferd versorgt ist.** Deshalb kümmert ihr euch nach der Stunde um sein Wohlergehen. Ihr bedankt euch bei eurem Pferd mit einem Leckerbissen, führt es trocken, putzt es und kratzt die Hufe aus.

- Die Ausrüstung des Pferdes wird gereinigt und aufgeräumt.
- Der Hufschlag wird mit Rechen und Schaufel wieder eingeebnet.
- Sammelt in der Halle/auf dem Übungsplatz oder im Stall alle Gebrauchsgegenstände (Kleider, Geräte, Ausrüstung usw.) wieder ein und räumt diese auf.

5.4 Lernen und Üben am Übungspferd

Das Training auf dem Übungspferd (**z.B. auf einem Holzpferd**) ist eine ideale Ergänzung zum Training auf dem lebenden Pferd, denn es bietet zusätzliche Übungsmöglichkeiten. Es dient zur **Einstimmung auf die Voltigierstunde** am Stundenanfang und zum **Einüben von neuen Übungen**. Voltigierstunden können damit effektiver gestaltet werden.

Auf welche Sicherheitsmaßnahmen müsst ihr achten, bevor ihr auf dem Übungspferd voltigiert?

Sicher ist sicher!

- Wir empfehlen, ein stabiles, TÜV-geprüftes Übungspferd zu verwenden. Übt immer nur unter Aufsicht eines Helfers, der jederzeit Hilfe- und Sicherheitsstellung leisten kann.

Das Übungspferd muss in einem einwandfreien Zustand sein. Es muss fest auf dem Boden stehen und darf nicht wackeln. Außerdem muss es genügend Abstand zur Wand haben und es muss ausreichend Platz für Auf- und Abgänge vorhanden sein. Wenn das Gerät auf einem harten Untergrund steht, müssen Matten um das Gerät gelegt werden. Achtet stets darauf, dass der Gurt fest angezogen ist. Falls ihr ein Trampolin verwendet, muss dieses ebenfalls in einem einwandfreien Zustand sein und fest auf dem Boden stehen.

Warum sollte jeder Voltigierer regelmäßig auf dem Übungspferd trainieren?

Dein Trainer kann dir den richtigen Bewegungsablauf einer Übung am Übungspferd viel ausführlicher erklären und deine Bewegungen genauer korrigieren. Du verbesserst deine **Bewegungsvorstellung** und dein **Bewegungsgefühl** und wirst immer sicherer in der Übungsausführung. Durch ständiges Wiederholen der Bewegungsabläufe auf dem Übungspferd wirst du im Voltigieren schneller vorwärts kommen. So **wird euer Voltigierpferd entlastet**. Wenn du noch zusätzlich außerhalb der Voltigierstunden die Übungsmöglichkeiten mit dem Übungspferd nutzt, wirst du mit Sicherheit weitere Fortschritte machen.

Wie stellt ihr euch am besten am Übungspferd auf?

Die ganze Gruppe stellt sich am besten in einem Halbkreis mit genügend Abstand zum Übungspferd auf. Jeder Voltigierer soll den Erklärungen und Korrekturen des Ausbilders bzw. des Helfers gut folgen und die übenden Voltigierer beobachten können.

Wozu kann ein Übungspferd während der Voltigierstunde eingesetzt werden?

- Unter Anleitung des Ausbilders können alle Bewegungsabläufe in Ruhe erklärt, gezeigt, ausprobiert und korrigiert werden, ohne gleichzeitig auf die Bewegungen des Pferdes achten zu müssen.
- Ein Helfer kann am Übungspferd auch leichter Hilfe- und Sicherheitsstellung geben als beim Voltigieren auf dem Pferd, da er besser zupacken kann.
- Mit dem Minitrampolin lässt sich am Übungspferd auch ein Ab- und Aufsprungtraining durchführen. Die korrekte Landetechnik und das richtige Verhalten bei Stürzen können eingeübt werden.
- Wer gerade nicht auf dem Pferd ist, kann die Wartezeit durch Zusatzaufgaben am Übungspferd sinnvoll nutzen und bleibt in Bewegung.

Wie kann das Übungspferd für zusätzliche Trainingseinheiten außerhalb des Voltigierunterrichts genutzt werden?

- Zum selbstständigen Erlernen von neuen Einzel- und Partnerübungen,
- zum Verbessern von Pflicht- und Kürübungen,
- als Sicherheitstraining für den sicheren Auf- und Abbau der Übungen,
- für das richtige Anwenden von Hilfe- und Sicherheitsstellung,
- für die Zusammenstellung und Gestaltung einer Kür,
- zum Trainieren und Verfeinern einer kompletten Kür und zur Abstimmung der Gestaltung auf die Musik.

 Merke dir

- Schone euer Pferd, indem du nur Übungen ausführst, die auf dem Übungspferd schon richtig klappen!

5.5 Sicherheits- und Hilfestellung

Wie könnt ihr euch Sicherheits- und Hilfestellung geben? Warum ist das wichtig?

Die richtige Hilfestellung gibt euch Sicherheit und hilft Unfälle zu vermeiden. Euer Ausbilder zeigt euch am Übungspferd, wie ihr gegenseitig richtig Hilfestellung geben könnt. **Im Schritt** geht ein Helfer neben dem Pferd mit und kann – wenn nötig – Hilfestellung leisten. **Im Galopp** laufen größere Voltigierer neben dem Pferd mit und helfen den kleineren beim Auf- und Abspringen. **Auf dem Pferd** können sich die Voltigierer auch gegenseitig Sicherheits- und Hilfestellung geben, z.B. indem ein Voltigierer vor dem Gurt sitzt und andere dabei sichert.

 *Merke dir*

• Wer Hilfestellung leistet, muss die entsprechenden Helfergriffe schnell und effektiv anwenden können sowie zuverlässig und stets einsatzbereit sein.

Was musst du für eine richtige Hilfestellung beachten?

Du musst den Bewegungsablauf der betreffenden Übung kennen und aufmerksam beobachten. Du weißt, wo und wann die rumpfnahe Hilfestellung ansetzen muss, sodass du jederzeit eingreifen kannst. Dabei verfolgst du genau: In welche Richtung bewegen sich die Übenden? Welche Griffe wendest du wann an?

Wie kannst du in gefährlichen Situationen am schnellsten das Pferd verlassen?

Mit dem sogenannten „Notabgang". Du hältst dich an den Griffen fest und rutschst an der Seite des Pferdes nach innen ab, sodass du auf den Füßen landen kannst. Lasse die Griffe rechtzeitig los!

Wie verhältst du dich, wenn du das Gleichgewicht verlierst?

• Klammere dich nicht am Gurt oder Partner fest!
• Vermeide nach hinten zu fallen. Versuche immer, auf beiden Füßen **vorwärts** und möglichst weit weg vom Pferd zu landen und auszulaufen.
• Wenn du zu viel Schwung hast, rolle dich am Boden ab.

Präfe dich selbst!

☐ *Was braucht man zum Voltigieren?*
☐ *Welche Ausrüstung benötigst du für das Voltigieren?*
☐ *Welche Aufgaben müssen vor und nach der Voltigierstunde erledigt werden?*
☐ *Warum ist ein geschulter Helfer für die Voltigierstunde notwendig?*
☐ *Was kannst du beitragen, damit die Voltigierstunde zügig abläuft?*
☐ *Warum ist das Aufwärmen am Anfang der Stunde so wichtig?*
☐ *Welche Verhaltens- und Sicherheitsregeln im Voltigierunterricht kennst du?*
☐ *Welche Vorteile hat das Training am Übungspferd für jeden Voltigierer?*
☐ *Wie gebt ihr euch gegenseitig richtige Hilfe- und Sicherheitsstellung?*

5.6 Regelwerk und Turnieranforderungen

Erst bei Breitensportlichen Wettbewerben und später auf Turnieren können alle Voltigierer zeigen, was sie in den Übungsstunden gelernt haben. Auch beim Voltigieren geht es nicht ohne feste Regeln. Die deutschen Turnierbestimmungen für Voltigierturniere sind Bestandteil der **Leistungs-Prüfungs-Ordnung (LPO)**. Die speziellen Anforderungen und die Bewertung der verschiedenen Klassen im **Einzel-, Doppel- und Gruppenvoltigieren** sind im **Aufgabenheft Voltigieren** zu finden. Ergänzend dazu sind die **Richtlinien, Band 3: Voltigieren** der FN auch für den Turniersport verbindlich.

Was versteht man unter Breitensportlichen Wettbewerben?

Breitensportliche Wettbewerbe unterscheiden sich in den Anforderungen und der Bewertung deutlich von den regulären Turnieranforderungen, z.B. kann oft mit einer beliebigen Gruppengröße gestartet werden. Die Angebote sind sehr vielfältig. Sie reichen von spielerischen Wettbewerben mit und ohne Pferd bis hin zu Wettbewerben, die zum Turniersport hinführen sollen. Ziel ist, die Voltigierer zu motivieren und den korrekten Umgang mit dem Pferd spielerisch zu fördern. Breitensportliche Wettbewerbe können in allen Gangarten und auf der rechten und linken Hand ausgeschrieben werden.

5

Was beinhaltet die Wettbewerbsordnung (WBO)?

Die WBO regelt die Durchführung von **Breitensportlichen Wettbewerben**. Die WBO richtet sich

nach den gleichen Ausbildungsgrundlagen wie im Aufgabenheft Voltigieren und den Richtlinien, Band 3: Voltigieren. Es werden weder Jahresturnierlizenzen noch Voltigier- oder Longierabzeichen verlangt. Die Teilnehmer müssen keinem Pferdesportverein angehören.

Jeder Veranstalter kann auf Basis der **WBO** selbst gewählte, sportlich faire und pferdegerechte Breitensportliche Veranstaltungen ausschreiben. Sie können als eigenständige Veranstaltung oder im Rahmen von Voltigierturnieren durchgeführt werden. Näheres regeln die besonderen Bestimmungen der jeweils zuständigen Landeskommission.

Wo sind die Regeln für alle Disziplinen des Pferdesports zu finden und warum solltest du die wichtigsten Turnierbestimmungen kennen?

In der **Leistungs-Prüfungs-Ordnung (LPO)** der FN. Sie ist das Regelwerk für den Reit-, Fahr- und Voltigiersport und wird vom Bereich Sport der FN herausgegeben. Das Reglement wurde aus praktischen Erfahrungen entwickelt. Es hat zum Ziel, dass alle Turniere unter **fairen Bedingungen** ablaufen. Die LPO hat die Gesundheit und Sicherheit von Pferden und Pferdesportlern im Blick. Deshalb ist es wichtig, dass du dich auch damit beschäftigst.

In welche Hauptteile ist die LPO gegliedert und wo sind die Regeln für das Voltigieren zu finden?

Teil A   Allgemeine Bestimmungen: Grundbestimmungen, Voraussetzungen, Durchführung und Teilnahmeberechtigung für Turniere, Ausrüstung von Teilnehmern und Pferden

Teil B   Besondere Bestimmungen: Die Bestimmungen für Voltigierprüfungen sind auf den Seiten mit rotem Rand aufgeführt. Weitere Rubriken sind: Bestimmungen für spezielle Disziplinen (z.B. Distanzreiten), Basis- und Aufbauprüfungen, Dressur und Springen

Teil C   Rechtsordnung: allgemeine Bestimmungen, Einsprüche und Ordnungsmaßnahmen

Teil D   Durchführungsbestimmungen: nähere Erläuterungen zu einzelnen Paragraphen

Anhang   Umrechnungstabellen, alphabetisches Sachverzeichnis

Was ist im Aufgabenheft Voltigieren geregelt?

Das Aufgabenheft Voltigieren enthält die Turnieranforderungen und Bewegungsbeschreibungen für die Pflichtübungen in allen Klassen mit Richtwerten. Auch für die Pferdenote sind Richtwerte aufgeführt. Weiter umfasst es die Klassifikation der Kürübungen und Formblätter (Bewertungsbogen, Leistungsnachweise, Antrag auf Rück-/Höherstufung).

Wie erfährst du Neuerungen zur LPO und zum Aufgabenheft Voltigieren?

Über die Kalenderveröffentlichungen der FN, die in Landesverbandszeitschriften, im Internet und im „Aktuellen Voltigierzirkel" veröffentlicht werden.

Welche Voraussetzungen müssen alle Turnierteilnehmer für einen Turnierstart erfüllen?

Alle Longenführer, Voltigiergruppen und Einzelvoltigierer benötigen einen Voltigierausweis, die sogenannte Jahresturnierlizenz. Diese muss jedes Jahr neu und rechtzeitig vor dem ersten Turnierstart bei der FN beantragt werden.

Wo sind alle notwendigen Informationen über ein Voltigierturnier zu finden?

In der Ausschreibung des Veranstalters. Sie enthält Angaben über den Termin, Veranstaltungsort und alle dort ausgeschriebenen Prüfungen sowie den Nennungsschluss. Die Ausschreibungen werden von der FN (für bundesweite Veranstaltungen) oder von der zuständigen Landeskommission genehmigt und über deren Organe (Verbandszeitschrift, Internet) veröffentlicht.

Welche Turnierdisziplinen gibt es beim Voltigieren?

Einzel-, Doppel- und Gruppenvoltigieren in verschiedenen Leistungsklassen (SIEHE TABELLE).

Leistungsklassen gemäß LPO 2013, Durchführungsbestimmungen zu § 63:	
Gruppen	Lkl. 1 startet in LP der Kl. S**
	Lkl. 2 startet in LP der Kl. S*
	Lkl. 3 startet in LP der Kl. M**
	Lkl. 4 startet in LP der Kl. M*
	Lkl. 5 startet in LP der Kl. L
	Lkl. 6 startet in LP der Kl. A
Einzelvoltigieren	Lkl. 1 startet in LP der Kl. S
	Lkl. 2 startet in LP der Kl. M
	Lkl. 3 startet in LP der Kl. L

Gibt es getrennte Wettkämpfe für Mädchen und Jungen beim Voltigieren?

Ja, beim Einzelvoltigieren können getrennte Prüfungen ausgeschrieben werden. Beim Gruppenvoltigieren können Jungen und Mädchen zusammen in einer Mannschaft starten.

Wie setzt sich eine Turniergruppe zusammen?

Eine Gruppe besteht aus dem **Pferd, dem Longenführer, acht bzw. sechs Voltigierern** je nach ausgeschriebenen Wettbewerben und ggf. einem Ersatzvoltigierer in den Klassen A–M, auf den auch verzichtet werden kann.

Wann darf der Ersatzvoltigierer zum Einsatz kommen?

Nur wenn sich ein anderer Gruppenvoltigierer verletzt hat.

Welche Prüfungsformen (Klassen) für Voltigiergruppen kennst du?

Klasse	A	L	M	S	Junior
Start-berechtigung	• max. 3 x Endnote 5,0 oder höher in Klasse A	• max. 3 x Endnote 5,5 oder höher in Klasse L • mindestens 2 x Endnote 5,0 oder höher in Klasse A oder Klasse Junior • mindestens 1 x Endnote 4,5 oder höher in Klasse L • mindestens vier Voltigierer bis zum Start mit VA 3	• mind. 2 x Endnote 5,5 oder höher in Klasse L • mind. 1 x Endnote 5,0 oder höher in Klasse M • mind. 2 x Endnote 5,5 oder höher in Klasse Junior	• mind. 2 x Endnote 6,5 oder höher in Klasse M • mind. 2 x Endnote 6,5 oder höher in Klasse Junior • mind. 1 x Endnote 6,0 in Klasse S	Voltigierer in Juniorgruppen sind bis zu 18 Jahren start-berechtigt. Sonst keine Einschränkungen
Altersgrenzen	Keine Altersgrenzen				Höchstalter 18 Jahre
Teilung	Möglich nach Alter in A und A16	Möglich nach Alter in L und L18	Möglich nach Leistung in M* und M** (2 x Endnote 6,5 und höher)	Möglich nach Leistung in S* und S** (2 x Endnote 7,0 und höher)	

Welche Anforderungen und Noten gibt es bei Gruppenwettbewerben?

Alle Voltigierer müssen alle Pflichtübungen zeigen. Jede Pflichtübung erhält eine Wertnote. Die Kür wird nach Gestaltung, Schwierigkeit und Ausführung bewertet. Alle acht (bzw. sechs) Voltigierer müssen (außer dem Ersatzvoltigierer) mit mindestens einer Übung an der Kür beteiligt sein. Außerdem gibt es noch die **Pferdenote** und eine Note für den **Gesamteindruck** bei den A- und L-Gruppenwettbewerben.

Anforderungen und Noten bei Prüfungen für Gruppen für das Jahr 2014

Gruppe	Klasse A	Klasse L	Klasse M	Klasse S	Klasse Junioren
Pflicht	A-Pflicht: 8 Übungen	L-Pflicht: 7 Übungen	M-Pflicht: 7 Übungen	S-Pflicht: 8 Übungen	Junior-Pflicht: 8 Übungen
Kür	Pflichtkür: 12 definierte Elemente in einer ansonsten frei zusammengestellten Kür, nur Einzel- und Doppelübungen	Frei zusammengestellte Kür mit maximal 6 statischen Dreierübungen	Frei zusammengestellte Kür aus Einzel-, Doppel- und Dreierübungen	Frei zusammengestellte Kür aus Einzel-, Doppel- und Dreierübungen	Frei zusammengestellte Kür mit maximal 6 statischen Dreierübungen
Kürbewertung	Schwierigkeit: Höchstnote 5,0 sofern 10 der Pflichtkürelemente gezeigt werden (0,5 Punkte pro gültigem Element) Gestaltung: Höchstnote 5,0 Ausführung: Höchstnote 10,0	Schwierigkeit: Höchstnote 7,0 Die 18 schwierigsten Übungsteile zählen: pro S = 0,4 pro M = 0,3 pro L = 0,2 Punkte Gestaltung: Höchstnote 7,0 Ausführung: Höchstnote 10,0	Schwierigkeit: Höchstnote 10,0 Die 20 schwierigsten Übungsteile zählen: pro S = 0,5 pro M = 0,3 pro L = 0,1 Punkte Gestaltung: Höchstnote 10,0 Ausführung: Höchstnote 10,0	Schwierigkeit: Höchstnote 10,0 Die 25 schwierigsten Übungsteile zählen: pro S = 0,4 pro M = 0,3 pro L = 0,1 Punkte Gestaltung: Höchstnote 10,0 Ausführung: Höchstnote 10,0	Schwierigkeit: Höchstnote 10,0 Die 20 schwierigsten Übungsteile zählen: pro S = 0,5 pro M = 0,3 pro L = 0,1 Punkte Gestaltung: Höchstnote 10,0 Ausführung: Höchstnote 10,0
Gesamteindruck	Höchstnote 10,0	Höchstnote 10,0	entfällt	entfällt	entfällt
Pferdenote	Höchstnote 10,0	Höchstnote 10,0	Höchstnote 10,0	Höchstnote 10,0	Höchstnote 10,0
Zeit	Gesamtzeit für Pflicht und Kür: 11 Minuten	Gesamtzeit für Pflicht und Kür: 11 Minuten Erlaubte Zeit Kür: 4 Minuten	Erlaubte Zeit: Pflicht: 8 Minuten (bei 8 Voltigieren) Kurzpflicht: 6,30 Minuten Kür: 4 Minuten	Erlaubte Zeit: Pflicht: 6 Minuten Kür: 4 Minuten	Erlaubte Zeit: Pflicht: 6 Minuten Kür: 4 Minuten

Ab welchem Zeitpunkt beginnt beim Gruppenvoltigieren die Zeitmessung bei Pflicht und Kür?

Die Zeitmessung beginnt, wenn der erste Voltigierer die Griffe bzw. das Pferd berührt.

Wer darf an Prüfungen für Einzelvoltigieren teilnehmen?

Startberechtigt sind Voltigierer mit **VA 3**, die im laufenden Kalenderjahr **mindestens 12 Jahre** alt werden (auch wenn sie zugleich in der Gruppe voltigieren).

Welche Klassen im Einzelvoltigieren gibt es?

Es gibt die Klassen L, M und S. Diese sind in § 63 der LPO aufgeführt.

Merke dir

- Beim Einzelvoltigieren darf sich kein zweiter Voltigierer in der Zirkelmitte befinden. Erst wenn der vorherige Voltigierer die letzte Übung beginnt, darf der nächste Voltigierer für seinen Start in die Zirkelmitte laufen.

Einzelvoltigieren

Welche Anforderungen gibt es beim Einzel- und Doppelvoltigieren?

Einzelvoltigierprüfungen bestehen aus **Pflicht und Kür oder Pflichtkür**. Für die Pflicht gibt es keine Zeitgrenze. Sind zwei Durchgänge ausgeschrieben, kann in Klasse S im zweiten Durchgang das **Technikprogramm** verlangt werden. Die Höchstzeit für Kür und Technikprogramm beträgt eine Minute. Bei Doppelvoltigierprüfungen gibt es nur eine **Kür von zwei Minuten Dauer**.

Doppelvoltigieren

Welche Vorbereitungen müssen vor einem Turnierstart getroffen werden?

- Die Nennung bis zum Nennungsschluss an den Veranstalter senden. In Zukunft sind auch On-line-Nennungen möglich.
- Den Transport des Pferdes organisieren und das Zugfahrzeug vorbereiten.
- Die Ausrüstung des Pferdes reinigen und einpacken. Im Equidenpass den Influenza-Impfschutz kontrollieren und den Equidenpass mitnehmen.
- Die Ausrüstung der Voltigierer: Trikots und Nummern, Gymnastikschuhe mit Socken, Trainingsanzüge, Haargummis mitnehmen.
- Das Pferd für den Turnierstart und den Transport vorbereiten: Pferd gründlich putzen, Transport-gamaschen anlegen usw. (SIEHE AUCH KAPITEL 6.2).

Wie und wo wird die Startbereitschaft erklärt?

Die Startbereitschaft muss spätestens **eine Stunde vor dem Start** bzw. vor Prüfungsbeginn (aus-schlaggebend ist die Ausschreibung und die Zeiteinteilung) an der **Meldestelle** erklärt werden. Dabei sind auch **Leistungsnachweise** und Turniermusik abzugeben.

Wie sollt ihr euch auf einem Turnier verhalten?

Alle Turnierteilnehmer sollen sich **sportlich fair** verhalten. Lautstarke Kommentare über Vorführungen anderer Teilnehmer oder die Wertnoten sowie Lärmen und andere Störungen auf dem Ablongierzirkel oder in der Nähe des Turnierzirkels sind unsportlich.

Was ist nach einem Turnierstart als Erstes zu tun?

Nach dem Start wird **zuerst das Pferd versorgt**. Die Ausbindezügel werden sofort gelöst und der Gurt wird gelockert. Dann wird das Pferd im Schritt geführt, bei kühler Witterung mit Abschwitz-decke. Zwischendurch den Gurt und die Bandagen abnehmen. Nach dem Abschwitzen und der Normalisierung der Atemfrequenz wird dem Pferd Wasser angeboten. Anschließend sollte es in einer Box oder auf dem Anhänger seine verdiente Ruhe erhalten. Bleibt das Pferd auf dem Anhänger, ist es wichtig, regelmäßig nach ihm zu sehen.

Wann müsst ihr spätestens in den Turnierzirkel einlaufen?

Spätestens eine Minute nach dem Klingelzeichen zur Startfreigabe von Richter A, andernfalls kann disqualifiziert werden.

Ab welchem Zeitpunkt beginnt die Zeitmessung bei der Kür beim Einzelvoltigieren?

Die Zeitmessung beginnt, wenn der Voltigierer die Griffe bzw. das Pferd berührt. Für die Pflicht gibt es eine Zeitgrenze.

Wie viel Zeit hat ein Einzelvoltigierer zwischen Pflicht und Kür, wenn er auf einem Pferd alleine am Start ist?

Die Pause zwischen Pflicht und Kür beträgt 30 Sekunden.

5.7 Bewertung eines Turnierstarts

Die Richter halten sich an die Regeln der LPO und des Aufgabenheftes Voltigieren. Sie orientieren sich auch an den dort und in den Richtlinien, Band 3: Voltigieren festgelegten **Bewertungs- und Hauptkriterien** (SIEHE AUCH KAPITEL 3). Für die praktische Voltigierabzeichenprüfung musst du auch über die Ausführung und Bewertung der einzelnen Pflichtübungen Bescheid wissen. Wenn du die Abzüge für Ausführungsfehler kennst, wird dir klar, welche Fehler du auf alle Fälle vermeiden musst!

Welche Wertnoten gibt es und was bedeuten sie?

Ganze, halbe und Zehntelnoten sind bei allen Prüfungen möglich.

10 = ausgezeichnet	4 = mangelhaft
9 = sehr gut	3 = ziemlich schlecht
8 = gut	2 = schlecht
7 = ziemlich gut	1 = sehr schlecht
6 = befriedigend	0 = nicht ausgeführt
5 = genügend	

Wie lange muss eine statische Übung in der Pflicht bzw. der Kür mindestens ausgehalten werden?
Jede statische Pflichtübung muss mindestens **vier Galoppsprünge** ausgehalten werden. Pro fehlendem Galoppsprung wird ein Punkt abgezogen. Jede statische Kürübung muss mindestens **drei Galoppsprünge** gezeigt werden, andernfalls wird sie beim Wert der Schwierigkeit nicht gezählt.

In welchem Takt müssen die Phasen der Übung Mühle gezeigt werden und wie werden die Takte korrekt gezählt?
Die Phasen der Mühle müssen in einem gleichmäßigen Vierertakt aufeinander folgen. Dabei entspricht ein Galoppsprung einem Takt. Eine neue Phase beginnt, wenn das jeweilige Bein angehoben wird, und endet jeweils nach vier Galoppsprüngen. Der letzte Takt endet im Grundsitz vorwärts.

Welche Note erhältst du für das Stehen, wenn du die Griffe zweimal berührst und wieder loslässt, anschließend aber sicher vier Galoppsprünge stehst?

Die Übung gilt als nicht ausgeführt. Du bekommst wegen zweimaliger Wiederholung die Wertnote 0.

Was machst du, wenn du bei einer Pflichtübung das Pferd verlassen musst?

Du springst so schnell wie möglich wieder auf und setzt die Pflicht mit der nächsten Pflichtübung fort.

Welche Standardabzüge gibt es bei den Pflichtübungen?

1 Punkt Abzug	2 Punkte Abzug	Wertnote 0
für jeden fehlenden Galoppsprung bei einer statischen Pflichtübung = G	für Wiederholen bzw. erneutes Ansetzen einer Pflichtübung = W	für jede nicht (oder nicht richtig) ausgeführte Pflichtübung (auch wenn einzelne Phasen fehlen bzw. falsch gezeigt werden)
für fehlendes Knien vor der Fahne und vor dem Stehen = K	für eine in der falschen Reihenfolge angesetzte Pflichtübung, die noch korrigiert wird	für zweimaliges Wiederholen einer Pflichtübung
für jeden Taktfehler in der Mühle = T	für das Zusammenbrechen einer Übung = Z	für jede nicht vollständig im Linksgalopp ausgeführte Pflichtübung
für Bodenberührung nach einem Abgang (jede Landung, die nicht nur auf den Füßen erfolgt) = B	für jede harte Landung auf dem Pferd = L	für den Aufsprung, wenn dieser nicht im Linksgalopp oder mit Hilfestellung ausgeführt wird
für das Berühren des Pferdehalses mit der Hand (z.B. bei Fahne oder Stehen) = H	für das Loslassen und nochmaliges Erfassen der Griffe vor dem Aufsprung = W	Verlassen des Pferdes während einer Pflichtübung (Sturz)
für unkorrekte Landung		für die zuerst gezeigte Pflichtübung bei Vertauschen zweier Pflichtübungen
		für eine Übung, wenn sich durch Abzüge die Wertnote 0 ergibt
		für die nachfolgende Pflichtübung, falls der Aufsprung zum 2. Pflichtblock nicht im Linksgalopp oder mit Hilfestellung erfolgt

Wichtig

- *Wenn mehrere Abzüge für verschiedene Fehler von einer Übung zusammenkommen, kann dies sogar die Wertnote 0 ergeben.*

Was bedeutet es, wenn Richter A während der Prüfung klingelt?

Dies bedeutet, dass du die Vorführung sofort unterbrechen musst. Du darfst diese erst dann wieder fortsetzen, wenn der Richter A den Start wieder freigibt. In der Regel wird eine Vorführung unterbrochen, wenn Gefahr für den Voltigierer oder das Pferd besteht und/oder die Ausrüstung in Ordnung gebracht werden muss.

Wie handelst du, wenn beim Einzelvoltigieren die Zeit nach einem Sturz angehalten wird?

Du setzt die Kür sobald wie möglich fort (spätestens nach einer Minute). Die Zeit läuft weiter, sobald du die Griffe wieder für den Aufsprung ergreifst.

Wann müssen im Einzel- und Doppelvoltigieren die Voltigierer bei der Kür das Pferd spätestens verlassen haben?

Der Abgang muss spätestens innerhalb von drei Galoppsprüngen nach dem Abläuten begonnen werden. Dieser wird nur für den Wert der Schwierigkeit noch berücksichtigt, wenn er innerhalb der nächsten drei Galoppsprünge nach Ablauf der Zeit begonnen wurde. Erfolgt der Abgang später, ergibt dies einen Abzug von 0,5 Punkten von der Gestaltungsnote.

Was geschieht, wenn beim Gruppenvoltigieren nach der erlaubten Zeit noch Kürübungen bzw. der letzte Abgang gezeigt wurden?

Die Regeln verlangen, dass alle Voltigierer, die sich beim Abläuten noch auf dem Pferd befinden, direkt aus ihrer Position abgehen. Die zu diesem Zeitpunkt begonnene Übung sowie die direkt angeschlossenen Abgänge werden für den Wert der Schwierigkeit noch berücksichtigt. Alle nach dem Abläuten begonnenen Kürübungen bleiben ohne Bewertung. Zudem wird ein Punkt von der Gestaltungsnote abgezogen.

Dürfen auch Pflichtübungen in einer Kür enthalten sein?

Ja, aber nur in Kombinationen, Verbindungen und Variationen. Sonst zählen sie nicht für den Schwierigkeitsgrad einer Kür.

Nach welchen Kriterien richtet sich der Schwierigkeitsgrad einer Kürübung?

Eine Liste mit Kürübungen mit ihren jeweiligen Schwierigkeitsgraden ist im Abschnitt "V. Klassifikation der Kürübungen" des Aufgabenheftes zu finden.

Folgende Kriterien spielen für die Einstufung der Übungen eine Rolle:

- die Lage des Voltigierers auf dem Pferd:
  (vor-, rück- oder seitlings)
- die Bewegungsrichtung der Übung
  (vor-, rück- oder seitwärts)
- die Haltung bei der Übung: angefasst,
  einarmig/einbeinig oder ganz frei
- die Bewegungsebene bei Partnerübungen
  (untere, mittlere, obere Ebene, Abstand zum
  Pferd, Höhe des Schwerpunktes)
- die Anzahl und Art der Haltepunkte:
  Wo hält sich der Voltigierer fest oder stützt sich
  ab: Griffe, Decke, Pferderücken, Schlaufe,
  Pferdehals, Partner?
- die Stand- bzw. Unterstützungsfläche
  (Gesäß, Füße, ganzer Rücken, Schultern)

Ordne die folgenden Übungen einem Schwierigkeitsgrad zu

Vergleiche die folgenden Übungsbeispiele mit der Klassifikation der Kürübungen im Aufgabenheft Voltigieren.

Übung	Schwierigkeitsgrad (S, M, L)
Standspagat angefasst	
Rolle rückwärts auf den Hals	
Übersprung über einen sitzenden Partner	
Knien seitwärts frei	
Standwaage in der Schlaufe angefasst	
Schulterstand rückwärts	
Handstand auf der Kruppe gestützt	
Sprung im Stehen mit halber Drehung	

Was passiert, wenn die gleiche Kürübung zweimal in einer Kür gezeigt wird?

Sie wird beim Wert der Schwierigkeit nur einmal berücksichtigt. Wenn der gleiche Übungsteil in zwei verschiedenen Formen gezeigt wird, zählt nur die schwierigere Variante.

Welche Übungsteile werden als Höchstschwierigkeit (HS) eingestuft?

Höchstschwierigkeiten werden nur beim Einzelvoltigieren gewertet. Dabei handelt es sich um sehr schwere Übungsteile, die sich durch besonders hohe **Anforderungen an Gleichgewicht, Koordination, Rhythmusanpassung sowie Kraft und Beweglichkeit** auszeichnen. Sie bilden die Höhepunkte einer Einzelkür.

Wie wird der Wert der Schwierigkeit für eine Einzelkür ermittelt?

Es werden nur die zehn schwierigsten Übungen gewertet. Dabei zählen **L (leicht) = 0 Punkte, M (mittel) = 0,4 Punkte, S (schwer) = 0,9 Punkte** und **HS (Höchstschwierigkeit) = 1,3 Punkte**. Wird die Mindestzahl von sieben gezeigten Übungsteilen nicht erreicht, erhält die gesamte Kür die Wertnote 0.

Wie wird im Einzelvoltigieren das Technikprogramm bewertet?

Es müssen fünf vorgeschriebene Technikelemente gezeigt werden, die je eine Wertnote erhalten. Die zurzeit gültigen Technikelemente kannst du im Aufgabenheft Voltigieren nachschlagen. Zusätzlich gibt es eine Gestaltungs-, Ausführungs- und Pferdenote.

Wie wird der Wert der Schwierigkeit für das Doppelvoltigieren ermittelt?

Es zählen nur die 13 schwierigsten Übungen.
Dabei zählt

L = 0 Punkte
M = 0,4 Punkte
S = 0,8 Punkte

Wenn nicht mindestens zehn Übungen in der Kür enthalten sind, ergibt dies die Wertnote 0 für die ganze Kür.

Welche Kriterien müssen für die Zusammenstellung einer Kür und eine gute Kürgestaltung beachtet werden? Nenne die wichtigsten Aspekte!

Die Gestaltungsnote im Aufgabenheft Voltigieren setzt sich aus athletischen, artistischen und künstlerischen Aspekten zusammen:

Welche Abzüge gibt es von der Gestaltungsnote bei den Gruppen?

* 1 Punkt Abzug für nach dem Abläuten begonnene Kürübungen
* 1 Punkt Abzug für jeden in der Kür nicht eingesetzten Voltigierer
* 1 Punkt Abzug bei Junior- und L-Gruppen, wenn mehr als sechs statische Dreierübungen gezeigt werden

Was sind die Merkmale einer gut ausgeführten Kür?

Es gelten die „Allgemeinen Bewertungskriterien" des Aufgabenheftes Voltigieren:

- Bewegungssicherheit und Ausführung im Gleichgewicht
- Harmonie und Leichtigkeit der Bewegungen
- Harmonie mit dem Pferd
- Bewegungsgenauigkeit
- Bewegungsweite (Höhe und Weite in der Ausführung)
- harmonische Übergänge
- Bewegungsfluss (Aufbau, Abbau, Übergänge, Übergänge in Pflicht und Kür)

Wie wirkt sich ein Sturz in der Kürbewertung aus?

Es gibt bis zu 3 Punkte Abzug je nach Schwere des Sturzes. Dies ist im Aufgabenheft Voltigieren bei der Ausführungsnote für das Einzel-, Doppel- und Gruppenvoltigieren unterschiedlich geregelt.

Wie wird der Gesamteindruck bewertet?

Diese Note gibt es nur beim Gruppenvoltigieren der **Klassen A und L**. Dabei wird die gesamte Pflicht und Kürvorführung der Gruppe bewertet. Folgende Kriterien werden bewertet:

- das Ein- und Auslaufen
- die Grußaufstellung
- die Aufmachung der Gruppe
- die Harmonie mit dem Pferd und innerhalb der Gruppe

Welche Abzüge gibt es von der Wertnote für den Gesamteindruck der A- und L-Gruppen?

Jeweils 1,0 Punkt Abzug für:

- Einsatz von Vokalmusik
- nicht sportgerechte Kleidung

Kennst du die Farben der Schleifen für die Platzierung?

1. Platz: Gold, 2. Platz: Silber, 3. Platz: Weiß, 4. Platz: Blau, 5. Platz: Rot, 6. Platz und alle weiteren Plätze erhalten grüne Schleifen. Als Andenken können Schleifen in anderen Farben überreicht werden.

Was musst du tun, wenn du aus triftigem Grund nicht an der Siegerehrung teilnehmen kannst?

Die Teilnahme an der Siegerehrung ist gemäß § 59 LPO für alle Teilnehmer und Pferde verpflichtend. Du musst den LK-Beauftragten informieren, denn er entscheidet zusammen mit der Turnierleitung über Ausnahmen. Ansonsten wird die Platzierung aberkannt.

Wie müssen die Voltigierer bei einem Turnierstart und bei der Siegerehrung gekleidet sein?

Die Ausrüstung der Voltigierer und Voltigierpferde ist in § 72 LPO geregelt. Die Kleidung muss **sportgerecht und zweckmäßig**. Die Voltigierer müssen eine gut sichtbare, 10–12 cm große Nummer am rechten **Arm oder Rücken** tragen. Die Kleidung des Longenführers sollte auf die Gruppe abgestimmt sein. Auch für die Siegerehrung gilt, dass alle Teilnehmer in ordentlicher Turnierkleidung oder in Trainingsanzügen erscheinen müssen.

Prüfe dich selbst!

☐ Wo findest du die deutschen Turnierbestimmungen und Regeln für das Voltigierturnier?
☐ Welche Klassen und welche Leistungsklassen gibt es?
☐ Was ist eine Ausschreibung und was beinhaltet sie?
☐ Was sind Breitensportliche Wettbewerbe?
☐ Wo findest du die Bestimmungen für Breitensportliche Wettbewerbe?
☐ Nenne die Pflichtübungen der Klassen A-, L-, M-/S-Gruppen in der richtigen Reihenfolge.
☐ Wo ist die Ausführung der Pflichtübungen genau beschrieben?
☐ Kennst du die Abzüge bei der Pflicht?
☐ Wie werden die Küren der Gruppen, EV und DV bewertet?
☐ Weißt du, wie das Technikprogramm im Einzelvoltigieren bewertet wird?
☐ Wie wird der Gesamteindruck bewertet?
☐ Welche Kriterien machen eine gute Gestaltung aus?
☐ Worauf müsst ihr für eine gute Kürausführung achten?

6

Fachkenntnisse rund um das Pferd

6.1 Vom Wesen des Pferdes

Viele Verhaltensweisen sind den Pferden angeboren. Sie werden Instinkthandlungen genannt. Der Mensch hat darauf keinen Einfluss. Damit du Pferde genau einschätzen und richtig mit ihnen umgehen kannst, solltest du diese Instinkthandlungen und die natürlichen Bedürfnisse der Pferde möglichst gut kennen.

Was weißt du über die Entwicklungsgeschichte des Pferdes?

Alle heutigen Pferde- und Ponyrassen haben ihre Verhaltensweisen von ihren Vorfahren geerbt. Auch dein Voltigierpferd. Sie **stammen alle von demselben Urahnen ab**, dem Eohippus. Er lebte zu der Zeit, als die Dinosaurier am Aussterben waren, also vor etwa 65 Millionen Jahren, und war nur so groß wie ein Fuchs. Als reiner **Pflanzenfresser** ernährte er sich von Laub. Im Laufe von vielen Millionen Jahren mussten sich seine Nachkommen immer wieder auf neue Lebensbedingungen einstellen. Sie entwickelten sich zu Gras fressenden Steppentieren und wurden allmählich immer größer.

Der einzige überlebende Nachkomme blieb aber vor rund 1,5 Millionen Jahren der Equus. Aus ihm entwickelten sich alle heutigen „Pferdeartigen" (Equiden), also auch der Esel und das Zebra. Da der Equus weit über die verschiedenen Kontinente verstreut lebte und dort ganz verschiedene Lebensbedingungen vorfand, entwickelten sich aus dieser Urform des Pferdes verschiedene Wildpferdearten von ganz unterschiedlicher Größe und Statur. Auch durch die Zucht haben sie ihre Urbedürfnisse nie verändert. Sie möchten noch heute als Herdentiere leben und suchen instinktiv Schutz bei ihren Artgenossen. Der Anführer als stärkstes Tier schützt seine Herde vor Gefahren und gibt das Signal zur Flucht. Pferde können aufgrund ihrer sehr gut ausgeprägten Sinne Gefahren sehr rasch wahrnehmen. Als Fluchttiere waren sie schon immer sehr schnell und ausdauernd.

Wie gehst du mit dem Fluchtinstinkt des Pferdes um?

Schreckhaftigkeit ist ein angeborenes Verhalten von Pferden. Sie scheuen und flüchten manchmal sogar, wenn sie angstauslösende Gegenstände, Geräusche oder Gerüche wahrnehmen. Auf keinen Fall darfst du ein Pferd wegen dieser Instinkthandlung bestrafen! Es ist zwecklos und bewirkt beim nächsten Mal, dass zu der angstauslösenden Situation noch die Angst vor der Strafe des Menschen hinzukommt. Stattdessen musst du das Pferd ruhig und geduldig mit jeder neuen Situation vertraut machen. Dazu musst du es vorsichtig, aber konsequent an alle angstauslösenden Außenreize heranführen und ihm zu verstehen geben, dass ihm nichts passieren kann. Je mehr Vertrauen das

Pferd zum Menschen gewonnen hat und je konsequenter es zum Gehorsam erzogen wurde, desto gelassener wird es sich verhalten. Wenn euer Voltigierpferd beispielsweise Angst vor Blitzlicht oder Applaus hat, müsst ihr es im Voltigierunterricht ganz behutsam daran gewöhnen, damit es dann auf Turnieren nicht scheut.

Was weißt du über die Bedürfnisse von Pferden?

Pferde waren früher als Steppentiere bis zu 16 Stunden am Tag mit der Nahrungssuche und -aufnahme beschäftigt. Sie benötigen also viel Zeit zum Fressen und sind an viel Licht, frische Luft und viel Bewegung gewöhnt. Ideal ist folglich, wenn sie zusätzlich zur Reit- oder Voltigierstunde Weidegang erhalten. Ihr großes Bewegungsbedürfnis wird nämlich durch eine Reit- oder Voltigierstunde am Tag keinesfalls befriedigt. Auch haben Pferde das Bedürfnis nach Gesellschaft in einer Herde mit einer klaren Rangordnung. Welche Rolle das Sozialverhalten der Pferde für den Menschen im Umgang mit ihnen spielt, erfährst du weiter unten.

Warum ist das Ausreiten so wichtig?

Jeder Ausritt bringt Abwechslung in den Alltag des Pferdes. Die Bewegung im Freien dient als Ausgleich zur Arbeit an der Longe und unter dem Sattel, besonders wenn diese in der Reithalle stattfindet. Beim Ausreiten können Pferde Stress, innere Spannung, Angst und sogar mangelnde Leistungsbereitschaft abbauen. Sie erholen sich nicht nur körperlich, sondern auch seelisch. Gleichzeitig werden sie an viele neuartige Situationen gewöhnt. Voraussetzung dafür ist aber ein guter Reiter, der sein Pferd weder überfordert noch die Kontrolle darüber verliert.

Welche Sinnesorgane des Pferdes kennst du?

Pferde haben Sinnesorgane, um zu

- hören
- sehen
- riechen
- schmecken
- tasten und fühlen

Das Gehör: Pferde können sehr viel besser hören als Menschen. Aufgrund ihrer sehr beweglichen Ohrmuscheln können sie Geräusche genau orten. Sie können Töne auch aus Frequenzen wahrnehmen, die wir Menschen überhaupt nicht registrieren können. Deshalb kann der Mensch oft gar nicht nachvollziehen, warum Pferde plötzlich scheuen. Jedes unbekannte und laute Geräusch beunruhigt die Pferde. Schrille und laute Geräusche und Krach sind ihnen unangenehm. Dazu zählen auch laute Pfiffe und tosender Applaus, wie man sie immer wieder bei größeren Voltigierturnieren erlebt.

Kommst du von vorne, kann dich das Pferd mit beiden Augen sehen!

Näherst du dich schräg von hinten, sieht dich das Pferd aus dem Augenwinkel ...

Vorsicht! Von hinten bemerkt dich das Pferd nicht!

Sicher ist sicher !

- Weil Pferde direkt hinter sich nichts sehen können, darfst du dich niemals direkt von hinten annähern! Am besten gehst du schräg von vorn auf ein Pferd zu und sprichst es dabei an. Dreht es den Kopf zu dir und spitzt es die Ohren, dann kannst du dir sicher sein, dass es dich wahrgenommen hat.

Der Gesichtssinn: Sehr wichtig ist für Pferde das Sehen. Ihre Augen befinden sich seitlich am Kopf und ermöglichen ihnen dadurch ein weit nach hinten gerichtetes, großes Gesichtsfeld. Sie sehen aber bloß in den Bereichen richtig scharf, die sie mit beiden Augen zugleich erblicken können. Das ist der vordere Bereich ihres Gesichtsfeldes, bis auf den Ausschnitt unmittelbar vor ihrer Nase. Da sie ihren langen Hals sehr gut drehen und auf- und abbewegen können, können sie sich eine große und genaue Rundumsicht verschaffen. Direkt hinter sich sehen sie jedoch gar nichts.

Der Geruchssinn: Pferde können auch sehr gut riechen. Ihre Nasenlöcher werden Nüstern genannt. Der gute Geruchssinn ist nicht nur für die Suche nach Nahrung ganz wichtig, sondern sie erkennen bzw. wittern durch ihn zugleich Gefahren. Eine besondere Eigenschaft der Pferde hast du vielleicht auch schon mal beobachtet: Als Reaktion auf intensive oder besonders interessante Gerüche (z.B. Geschlechtspartner) flehmen Pferde.

Der Geschmackssinn: Um bei der ständigen Suche nach Nahrung keine giftigen Pflanzen zu fressen und um gutes von schlechtem Futter unterscheiden zu können, benötigen Pferde neben ihrer feinen Nase einen ebenso feinen Geschmack. Dies ist ein wichtiger Überlebensinstinkt, denn Pferde haben ein sehr empfindliches Verdauungssystem (SIEHE KAPITEL 6.8).

Flehmen

Der Tastsinn: Er ist über die gesamte Körperhaut des Pferdes ausgeprägt. Sobald sie irgendwo eine Fliege spüren, können sie diese mit ihrer gut ausgebildeten Hautmuskulatur abschütteln. Das Tasten der Lippen hast du bestimmt auch schon gespürt, wenn du einen Leckerbissen aus deiner flachen Hand gefüttert hast. Rund um das Pferdemaul und um die Augen befinden sich lange, spezielle Tasthaare. Sie dürfen auf gar keinen Fall abgeschnitten werden (sogenanntes „clipping"). Dies gilt genauso für die Haare in den Ohren! Weil dies so wichtig ist, findest du dieses Verbot sogar im Tierschutzgesetz.

Weißt du über den Charakter und die Sprache des Pferdes Bescheid?

Jedes Pferd unterscheidet sich in seinem Charakter und Temperament von seinen Artgenossen und hat andere Vorlieben und Abneigungen. Du kannst mit Pferden bestens zurechtkommen, wenn du auch ihre Sprache und Persönlichkeit kennst. Pferde verständigen sich untereinander vor allem durch ihren Gesichtsausdruck und ihre Körperhaltung. Ihre Stimme benutzen sie relativ selten. Bestimmt hast du sie aber schon mal wiehern, schnauben oder durch die Nüstern blasen oder quietschen hören. Für jeden Menschen ist es im Umgang mit Pferden unverzichtbar, die Körpersprache des Pferdes zu kennen. Sie ist sehr aussagekräftig. Wenn du dich einem Pferd näherst oder dich mit ihm beschäftigst, musst du zuerst seine Augen, Ohren und Nüstern beobachten.

- Aufmerksame Pferde stellen die Ohren und zeigen ein waches Auge.
- Drohhaltungen erkennst du an den flach angelegten Ohren, oft in Verbindung mit gebleckten Zähnen. Zusätzlich siehst du manchmal auch eine angehobene Kruppe mit einem angewinkelten, angespannten und vielleicht sogar vom Boden abgehobenen Hinterbein.
- Angst erkennst du an plötzlicher Unruhe des Pferdes oder an stocksteifem Stehen. Typisch sind die weit aufgerissenen Augen und Nüstern.

Während des Voltigierens kannst du ein unzufriedenes Pferd zum Beispiel an seinen zurückgelegten Ohren und am unruhig schlagenden Schweif erkennen. Noch eindeutiger ist das Buckeln als heftiges Zeichen der Gegenwehr. Dreht dein Voltigierpferd dir im Unterricht beim Anlaufen die Hinterhand entgegen, gibt es unmissverständlich zu verstehen, dass es deinen Aufsprung nicht dulden möchte. Dann muss dein Longenführer herausfinden, ob das Pferd schmerzempfindlich im Rücken ist, es zu Beginn der Voltigierstunde nicht ausreichend gelöst wurde oder ob andere Ursachen vorliegen. Damit du nicht selbst ein solch unerwünschtes Verhalten verursachst, musst du beim Aufsprung stets weich und mittig auf dem Pferderücken landen und genauso weich voltigieren.

Welche Rangordnung musst du unbedingt herstellen?

Kämpfe um die Rangordnung gehörten schon seit jeher zum wichtigsten Sozialverhalten unter den Pferden. Es ist ganz natürlich, dass Pferde auch gegenüber dem Menschen eine Rangordnung herstellen. Warum der Mensch dabei immer ranghöher sein muss, wird dir nachfolgend erklärt:

- Auf ein Kräftemessen mit dem Pferd darfst du dich niemals einlassen. Dabei wird selbst der stärkste Mensch immer unterliegen und nur Feindschaft erzeugen. Gerade wegen dieser körperlichen Überlegenheit der Pferde ist es unverzichtbar, dass das Pferd den Menschen dennoch als ranghöheres Wesen anerkennt, sonst wird es ihn nicht respektieren. Dies gelingt ohne jeden Zwang nur durch eine konsequente Erziehung sowie einen artgerechten und angstfreien Umgang mit dem Pferd. Je besser du dich mit Pferden auskennst, desto selbstsicherer kannst du dich verhalten und weißt, wie du in welcher Situation reagieren musst.
- Wenn das Pferd dich lediglich als ranggleiches Wesen betrachtet, wird es die Rangordnung immer wieder infrage stellen und sich dir im Zweifelsfall widersetzen. Denn es ist sich seiner Kraft durchaus bewusst. Dadurch entstehen zwangsläufig immer wieder Probleme im Umgang mit Pferden.
- Wenn das Pferd dich als rangniedriger eingestuft hat, wird es seine Überlegenheit ausspielen. Es wird deine Unsicherheit, Unkenntnis oder sogar Angst spüren und sich dir immer wieder widersetzen. Diese Rollenverteilung kann sehr gefährlich werden und ist mit einer großen Unfallgefahr verbunden.

Wie verteidigt sich ein Pferd?

Wenn sich Pferde in die Enge getrieben fühlen und nicht flüchten können, benutzen sie zu ihrer Verteidigung ihre Hufe und Zähne.

Wie gelingt es dir, das Vertrauen eines Pferdes zu gewinnen?

Indem du seine Instinkte und Bedürfnisse respektierst, ruhig und bestimmt mit ihm umgehst und einen höheren Rang als das Pferd einnimmst. Nur wenn das Pferd dem Menschen vertraut, kann es dessen Zeichen und Hilfen verstehen und annehmen. Wichtige Hinweise zum täglichen Umgang mit dem Pferd findest du im nächsten Kapitel.

Was ist das höchste Ziel im Umgang mit dem Pferd?

Die Harmonie zwischen Mensch und Pferd. Sie kann sich nur aus großem gegenseitigem Vertrauen entwickeln.

Merke dir 👉

- Wenn im Umgang zwischen Menschen und Pferden Probleme auftreten, lassen sich diese fast ausnahmslos auf falsche Behandlung durch den Menschen und daraus folgende schlechte Erfahrung des Pferdes zurückführen.

Prüfe dich selbst!

- ☐ Was weißt du über das Instinktverhalten des Pferdes?
- ☐ Welche Grundbedürfnisse haben alle Pferde?
- ☐ Nenne die wichtigsten Sinne des Pferdes!
- ☐ Wie deutest du die Körpersprache?
- ☐ Welche Rangordnung muss der Mensch gegenüber jedem Pferd stets einnehmen?

6.2 Mit Pferden richtig umgehen

Ein Pferd kann schon an deiner Körpersprache erkennen, ob du ihm eher selbstbewusst oder ängstlich gegenübertrittst. Es spürt, wenn ein Mensch unsicher ist und wenig Erfahrung im Umgang mit Pferden hat. Je mehr du also über Pferde weißt, je geübter und selbstsicherer du mit ihnen umgehen kannst, desto schneller wirst du ihr Vertrauen gewinnen.

Wie näherst du dich einem Pferd?

Gehe am besten immer von schräg vorne auf das Pferd zu. So kann es dich am genauesten sehen. Dabei sprichst du es ruhig an. Nähere dich immer selbstsicher und ohne hastige Bewegungen. Du erkennst am Ohrenspiel und am Gesichtsausdruck, ob es dich bemerkt hat und wie es reagiert. Wenn es die Ohren spitzt und dir freundlich entgegensieht, lässt du dich erst einmal beschnuppern.

Sicher ist sicher ❗

- Auf keinen Fall darfst du dich einem Pferd direkt von hinten nähern und es berühren, ohne es vorher anzusprechen! Da es dich nicht sehen kann, wird es sich erschrecken und möglicherweise ausschlagen.

Wie sprichst du mit dem Pferd?

Pferde haben empfindliche Ohren. Sie reagieren sehr gut auf die menschliche Stimme, mögen aber keine schrillen Töne. Deshalb sollst du immer mit ruhiger und fester Stimme sprechen. Am besten reagieren Pferde auf kurze und eindeutige Kommandos.

Was darfst du Pferden zur Begrüßung füttern und wie machst du es richtig?

Leckerbissen sind Pferde-Leckerli aus dem Reitsporthandel, Karotten, Äpfel und trockenes, aber nicht schimmeliges Brot. Zuckerstücke schaden den Pferdezähnen genauso wie deinen eigenen und sind deshalb ungeeignet. Füttere die Leckerbissen nur zur Begrüßung und zur Belohnung nach der Arbeit, nicht aber zwischendurch während des Führens oder des Putzens. Denn sonst gewöhnst du dem Pferd das Betteln an. Du legst den Leckerbissen auf deine flach ausgestreckte Hand, der Daumen liegt fest an. Halte die Hand ganz ruhig und lass das Pferd erstmal schnuppern. Ziehe die Hand keinesfalls ruckartig zurück, sonst wird es sich erschrecken.

Wie legst du das Halfter richtig an?

Du stellst dich neben die linke Pferdeschulter und greifst mit der rechten Hand von außen auf den Nasenrücken des Pferdes. In der linken Hand hältst du das Halfter unterhalb des Genickstückes fest und schiebst es ruhig über die Nase. Du kannst es anschließend am besten über die Ohren streifen, wenn du es mit beiden Händen seitlich festhältst. Danach befestigst du den Führstrick am Halfter. Wenn du den Führstrick schon vorher am Halfter be-

festigt hast, nimmst du diesen in großen Schlaufen zusammen mit dem Halfter in die linke Hand, damit er nicht den Boden berührt.

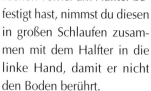

Sicher ist sicher !

- Führe ein Pferd stets am Führstrick und nie direkt am Halfter. Du kannst es sonst nicht mehr halten, wenn es den Kopf hochreißt.
- Trage zum Aufhalftern und Führen keinen Fingerschmuck. Wenn das Pferd plötzlich den Kopf hochreißt, kannst du damit am Halfter oder Strick hängen bleiben und dich schwer verletzen.

Welche Führstricke sind geeignet?

Führstricke gibt es mit verschiedenen Verschlüssen. Der Panikhaken ist ideal zum Anbinden am Putzplatz. Er lässt sich schnell öffnen, auch wenn das Pferd in Panik geraten ist und daran zieht. Zum Führen über größere Strecken verwendet man am besten einen Führstrick mit Karabiner, der sich nicht unbeabsichtigt öffnet.

Wie bindest du ein Pferd richtig an?

Achte zuerst darauf, dass am Anbindeplatz nichts herumsteht oder -liegt, womit sich das Pferd verletzen könnte. Zum Anbinden führst du den Strick durch den Anbindering und bildest eine lange Schlaufe, mit der du Schlingen wie beim „Luftmaschenhäkeln" bildest (wie auf dem Bild gezeigt). Das Strickende ziehst du durch die letzte Schlaufe. Dieser Knoten lässt sich ganz schnell wieder öffnen. Die richtige Länge des Strickes vom Halfter bis zum Knoten beträgt ungefähr eine Armlänge. Wenn der Strick zu kurz ist, kann sich das Pferd nicht umsehen, fühlt sich eingeengt und wird unruhig. Ein zu langer Strick ist ebenso gefährlich, weil das Pferd sich mit den Vorderbeinen oder dem Kopf darin verfangen kann.

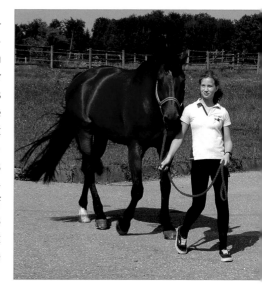

Merke dir

- Binde ein Pferd nie an beweglichen Gegenständen an und auch nie an seiner Trense. Wenn es erschrickt und den Kopf hochreißt, kann es sich dabei am Maul verletzen und die Trense kann zerreißen.

Woran musst du beim Loslassen des Pferdes in seiner Box oder auf der Koppel denken?

Sobald du durch die Boxentüre oder das Koppeltor gegangen bist, wendest du das Pferd zum Tor. Du schließt das Koppeltor bzw. lehnst die Boxentüre an, bevor du das Pferd loslässt. So bist du vor den Hinterhufen sicher und kannst das Halfter vorsichtig über die Pferdeohren abstreifen oder den Führstrick lösen, damit das Pferd sich nicht verletzen kann.

Wie führst du ein Pferd?

Zum Führen am Halfter befestigst du den Führstrick am unteren Ring des Nasenriemens. Ist das Pferd für den Voltigierunterricht aufgetrenst (SIEHE KAPITEL 6.6), verschnallst du die Longe am linken Gebissring der Trense. Du gehst immer auf der linken Seite des Pferdes auf Höhe des Pferdehalses mit. So hast du den Pferdekopf gut im Blick und damit die beste Kontrolle über das Pferd. Mit der rechten Hand fasst du den Führstrick bzw. die Longe etwa drei Handbreit unterhalb des Verschlusses. Mit der linken Hand hältst du das Ende des Führstricks bzw. der in größere Schlaufen aufgewickelten Longe. Der Führstrick oder die Longe dürfen auf keinen Fall auf den Boden durchhängen, weil sonst das Pferd hineintreten und in Panik geraten kann. Auch könntest du selbst über einen herabhängenden Führstrick oder eine durchhängende Longe stolpern.

Gehe fleißig neben dem Pferd her, denn es macht von Natur aus größere Schritte als du und soll seine Schrittlänge wegen dir nicht verkürzen müssen. Wird es zu eilig oder heftig, kannst du mit dem Strick einen kurzen Druck oder Zug auf das Halfter bzw. mit der Longe auf das Trensengebiss ausüben. Schwer zu führende Pferde können mit der Führkette geführt werden. Sie wirkt über die Nase mit Druck auf den Nasenrücken, weshalb du das Pferd besser im Griff behalten kannst.

> ### Sicher ist sicher !
>
> • Du darfst den Führstrick oder die Longe auf keinen Fall um die Hand wickeln. Wenn das Pferd erschrickt und scheut, kannst du es nicht loslassen, falls es davonstürmt. Stattdessen zieht sich der Strick noch fester um deine Hand zu!

Wie musst du zum Führen des Pferdes gekleidet sein?

Trage beim Führen immer feste Schuhe. Sie geben dir den erforderlichen Halt, um das Pferd sicher zu führen. Voltigierschuhe mit ihren dünnen, flexiblen Sohlen bieten dir keinerlei Schutz, wenn dir das Pferd mal versehentlich auf den Fuß tritt. Auch Handschuhe sind empfehlenswert.

Was musst du beim Vorbeiführen an anderen Pferden beachten?

Je größer der seitliche Abstand ist, desto besser. Er soll mindestens eine Pferdelänge betragen. Besondere Vorsicht ist an engen Stellen wie z.B. auf der Stallgasse geboten. Wenn du ein Pferd hinter einem anderen führst, musst du auf mindestens zwei Pferdelängen (ca. 5 m) Abstand achten. Denke beim Überholen daran, dass Pferde unmittelbar hinter sich nichts sehen können und gehe daher in einem großen Bogen vorbei.

Basispass

Wie kannst du das Gangmaß des Pferdes beim Führen verändern?

Indem du selbst beim Führen langsamer oder schneller gehst. Das Pferd wird sich deinem Tempo anpassen. Gegebenenfalls kannst du den Tempowechsel zunächst mit beruhigender oder auffordernder Stimme unterstützen.

Wie führst du ein Pferd im Slalom?

Indem du selbst den Richtungswechsel vorgibst, also leicht nach innen oder außen wendest. Dabei lenkt die zügelführende linke Hand jeweils den Kopf und den Hals des Pferdes in die eingeschlagene Richtung.

Merke dir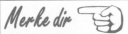

- Das wichtigste Mittel zur Verständigung mit dem Pferd ist deine Körpersprache. Gehe daher stets in ruhiger und aufrechter Körperhaltung entschlossen neben dem Pferd vorwärts und wende dich bei jedem Richtungswechsel sogleich mit deinem ganzen Körper in die neue Richtung.

Wie wird ein Pferd gewendet?

Die Wendung erfolgt beim Führen auf der linken Seite des Pferdes möglichst immer nach rechts, sodass du einen größeren Bogen als das Pferd machen musst. Dadurch verhinderst du, dass dir das Pferd in der Wendung auf den Fuß tritt.

Wie wird ein Pferd auf der Dreiecksbahn vorgeführt?

Auf der Dreiecksbahn wird das Pferd immer mit Trense und Zügel vorgeführt. Die Zügelenden werden vom Hals heruntergenommen. Zuerst stellst du das Pferd „offen" (inneres Vorderbein vor dem äußeren und inneres Hinterbein hinter dem äußeren) auf. Dabei stellst du dich vor das Pferd und hältst mit der rechten Hand den linken Zügel und umgekehrt. Nicht in die Gebissringe fassen!

Danach stellst du das Pferd in der Bewegung vor. Lasse die Zügel so lang, dass es seinen Hals frei tragen kann. Zuerst wendest du es nach rechts und führst es im Schritt geradeaus. Nach der nächsten Rechtswendung trabst du selbst und damit auch das Pferd an. Dazu kannst du auch schnalzen. Trabe im Gleichschritt fleißig nebenher. Vor der letzten Wendung nach rechts parierst du es wieder durch zum Schritt, indem du selbst langsamer wirst und ruhig schreitest. Anschließend führst du es auf gerader Linie wieder an den Ausgangspunkt zurück und zeigst das Pferd dort noch einmal in Schlussaufstellung.

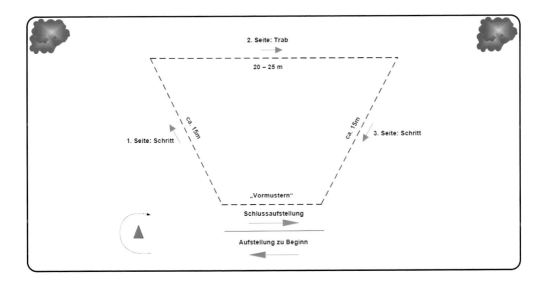

Wie wird ein Pferd bei der Verfassungsprüfung vorgeführt? (Zusatzfrage)

Auch die Verfassungsprüfung wird immer mit Trense und Zügel durchgeführt. Wie auf der Dreiecksbahn werden die Zügel vom Hals heruntergenommen. Zuerst stellst du das Pferd „offen" auf wie oben schon beschrieben. Nun stellst du das Pferd vor. Dabei nennst du Name, Geschlecht, Alter und Besitzer/Verein. Anschließend prüft der Tierarzt die Identität des Pferdes anhand des Equidenpasses (SIEHE KAPITEL 6.3) und beurteilt seinen Gesundheits- und Pflegezustand.

Danach stellst du das Pferd in der Bewegung vor. Lasse die Zügel so lang, dass es seinen Hals frei tragen kann. Zuerst führst du es im Schritt auf gerader Linie vom Tierarzt weg. Nach etwa zehn Metern trabst du das Pferd an und läufst im Gleichschritt fleißig mit. Vor dem Wendepunkt (nach ca. 30 Metern) parierst du wieder durch zum Schritt und wendest nun rechts um eine Markierung herum. Anschließend trabst du wieder auf gerader Linie auf den Tierarzt zurück und zeigst das Pferd dort noch einmal in der Schlussaufstellung.

So steht das Pferd richtig „offen".

Wie richtest du ein Pferd an der Hand rückwärts?

Zunächst stellst du dich wie beim Vormustern auf der Dreiecksbahn oder bei der Verfassungsprüfung mit Blickrichtung zum Pferd vor ihm auf. Dann machst du einen Schritt auf es zu und forderst es mit leichtem, aber energischen Druck einer deiner Hände auf seine Brust dazu auf, zurückzugehen. Lasse hierbei die Zügel oder den Führstrick leicht anstehen oder sogar etwas durchhängen, denn Ziehen oder Druck löst beim Pferd meist Gegendruck aus.

Korrekte Rechtswendung

Welche Ausrüstung gehört zum Verladen?

Pferde werden immer mit Halfter und Führstrick transportiert. Nur wenn sich ein Pferd schlecht ein- oder ausladen lässt, kann es hierfür aufgetrenst werden. Bei kühlem Wetter oder Zugluft wird eine Decke aufgelegt. Rutschsichere Transportgamaschen oder dicke Bandagen und Hufglocken schützen die Beine vor Verletzungen. Schweifschoner verhindern, dass der Schweif vom Rand der Anhängerklappe aufgescheuert wird.

Was ist beim Verladen des Pferdes zu beachten?

Ein Pferd, das keine schlechten Erfahrungen beim Transport gemacht hat, lässt sich in der Regel problemlos verladen. Unerfahrene oder unwillige Pferde verlädt man am besten zusammen mit einem erfahrenen Pferd auf einen Doppelanhänger. Dazu stellt man für das erste Pferd die Zwischenwand breiter. Damit das Pferd während des Verladens nicht zur Seite ausweichen kann, ist es vorteilhaft, den Anhänger an einer Wand entlang zu parken und die andere Seite durch eine Longe oder einen Flankierbaum abzugrenzen. Dazu werden mindestens zwei Helfer benötigt. Sie müssen verhindern, dass die Pferde seitlich von der Rampe heruntertreten.

Die Pferde müssen immer zügig und bestimmt auf die Laderampe zugeführt werden. Will sie ein Pferd nicht betreten, können erfahrene Helfer die Hufe nacheinander vom Boden abheben und nach vorne setzen. Gleichzeitig kann das Pferd mit einem Futtereimer oder Karotten auf den Anhänger gelockt und mit ruhiger, aber energischer Stimme zum Weitergehen aufgefordert werden.

Sobald das Pferd eingestiegen ist, muss der Flankierbaum geschlossen werden bzw. zuvor die Zwischenwand festgestellt werden. Erst danach wird das Pferd angebunden. Beim Ausladen gilt umgekehrt, dass das Pferd bereits losgebunden sein muss, bevor ein Helfer den Flankierbaum öffnet. Während des Ausladens sollte auf beiden Seiten der Laderampe ein größerer Helfer stehen und ebenfalls dafür sorgen, dass das Pferd nicht seitlich von der Rampe hinuntertritt.

Erfahrene Helfer sind beim Verladen notwendig.

Was ist noch beim Transport zu beachten?

- Das Zugfahrzeug und der Anhänger müssen für die geplante Zuglast zugelassen und in einem technisch einwandfreien Zustand sein. Vor dem Verladen wird der Reifendruck kontrolliert und überprüft, ob der Anhänger und das Bremsseil richtig angehängt sind.
- Jeder Transport ist für die Pferde mit Aufregung verbunden. Man sollte deshalb immer frühzeitig losfahren, damit das Pferd nach der Ankunft noch etwa eine halbe Stunde auf dem Anhänger bleiben und sich beruhigen kann. Verspannungen und Stress werden nicht abgebaut, wenn das Pferd zu früh ausgeladen und gearbeitet wird.
- Damit sich die Pferde gut ausbalancieren können, ist es wichtig, vorausschauend zu fahren und nicht ruckartig zu beschleunigen oder abzubremsen. Auch müssen alle Kurven vorsichtig angefahren werden.

Prüfe dich selbst!

- ☐ *Warum musst du jedes Pferd zuerst ansprechen, wenn du dich ihm annäherst?*
- ☐ *Erkläre, wie du ein Pferd richtig führst.*
- ☐ *Worauf musst du achten, wenn du ein Pferd an einem anderen vorbeiführst?*
- ☐ *Zeige, wie du ein Pferd anbindest!*
- ☐ *Welche Ausrüstungsgegenstände werden für den Transport benötigt?*

6.3 Pferde unterscheiden können

Basispass

Hast du dir schon mal überlegt, wie viele verschiedene Pferderassen es gibt? Rund um die Welt werden derzeit über 300 verschiedene Rassen zu den unterschiedlichsten Zwecken gezüchtet. Sie werden aufgrund ihrer Haupteigenschaften und ihres Hauptnutzens in verschiedene Rassegruppen eingeteilt.

Rennpferde

Englisches Vollblut

Araber

Die wichtigsten Pferderassen

Gruppe	Dazu gehören z.B. folgende Rassen	Hauptsächliche Verwendung
Rennpferde	Englisches Vollblut, Traber	Rennsport Distanzreiten Freizeitsport
Arabische Rassen	Arabisches Vollblut, Anglo-Araber, Araber	Distanzreiten Freizeitsport
Deutsche Reitpferde/ Warmblüter	Reitpferderassen mit Ursprungs- zuchtbüchern bei den größtenteils regionalen, teilweise bundesweit tätigen Zuchtverbänden (Holsteiner, Württemberger, Trakehner ...)	Dressur, Springen, Voltigieren, Fahren, Vielseitigkeit, Freizeitsport
Schwere Warmblüter	Alt-Württemberger, Alt-Oldenburger, Sächsisch-Thüringisches Schweres Warmblut	Fahrsport Dressur Freizeitsport
Kaltblutpferde	Rheinisches Kaltblut Ardenner Kaltblut Schwarzwälder, Noriker, Shire Horse	Arbeitspferde zum Fahren und Holzrücken, Freizeitsport
Ponys und Kleinpferde	Deutsches Reitpony, Welsh Pony, Haflinger, Shetlandpony, Fjordpferd	Rassespezifische Reit- und Fahrdisziplinen
Gangpferde	Islandpferd, Tennesse Walking Horse, Hackney	Gangpferdeturniere Freizeitreiten
Westernrassen	Appaloosa, Quarter Horse, Paint Horse	Westerndisziplinen Freizeitsport
Weitere Rassen/ Spezialrassen	Friese, Lipizzaner, Andalusier, Achal Tekkiner	Rassespezifische Reit- und Fahrdisziplinen

Holsteiner

Württemberger

Trakehner

Ardenner Kaltblut

Schwarzwälder

Kaltblüter vor der Kutsche

Deutsches Reitpony

Haflinger

Fjordpferd

Islandpferd

Appaloosa

Friese

Welche Pferderassen finden im Voltigiersport Verwendung?

Rasse, Herkunft und Farbe des Pferdes spielen keine Rolle. Entscheidend ist die Eignung eines Pferdes für seinen Verwendungszweck. Kleinpferde und Ponys eignen sich vor allem als Voltigierpferde für Spiel- und Anfängergruppen. Für fortgeschrittene Voltigierer und im Turniersport werden großrahmige Warmblutpferde im Reitpferdetyp bevorzugt. Wichtig ist, dass die Pferde gesund und ausgeglichen sind, eine gute Galoppade haben (SIEHE KAPITEL 6.7) und kräftig genug sind, um das Gewicht von bis zu drei Voltigierern zu tragen.

Welche Reitpferde gibt es in Deutschland?

Die deutsche Reitpferdezucht stellt den überwiegenden Anteil der Reitpferde in Deutschland. Deshalb solltest du dir einige der Zuchtverbände und ihre Brandzeichen merken. Dieses wird dem Fohlen auf dem linken Hinterschenkel gebrannt. Alternativ zum traditionellen Brennen besteht die Möglichkeit, Pferden einen Mikrochip zu implantieren, der eine einmalig vergebene Nummer trägt. Mithilfe eines speziellen Lesegerätes kann ein Pferd damit zweifelsfrei identifiziert werden.

ZUCHTVERBAND	DEUTSCHE REITPFERDE
Pferdezuchtverband **Baden-Württemberg** e.V.	
Landesverband **Bayerischer** Pferdezüchter e.V.	
Pferdezuchtverband **Brandenburg-Anhalt** e.V.	
Hannoveraner Verband e.V.	
Verband der Züchter des **Holsteiner** Pferdes e.V.	
Verband der Pferdezüchter **Mecklenburg-Vorpommern** e.V.	
Verband der Züchter des **Oldenburger** Pferdes e.V.	
Springpferdezuchtverband **Oldenburg**-International e.V.	
Rheinisches Pferdestammbuch e.V.	
Pferdezuchtverband **Rheinland-Pfalz-Saar** e.V.	
Pferdezuchtverband **Sachsen-Thüringen** e.V.	
Trakehner Verband e.V.	
Westfälisches Pferdestammbuch e.V.	
Zuchtverband für **deutsche Pferde** e.V.	

Was weißt du über den Körperbau des Pferdes?

Der Aufbau des Pferdekörpers (die Anatomie) ist bei allen Rassen gleich, obwohl sie so unterschiedlich groß sind und so verschiedenartig aussehen können.

Wie werden die wichtigsten Körperteile des Pferdes genannt?

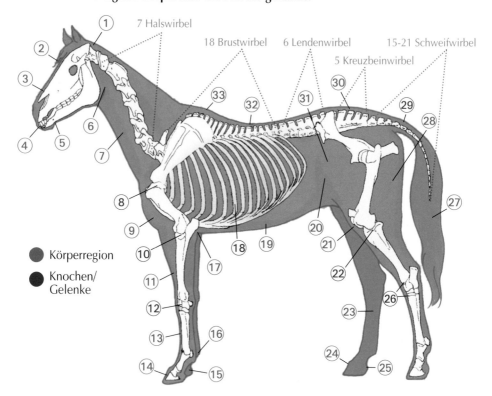

1. Genick	12. Vorderfußwurzelgelenk	23. Hintermittelfuß
2. Stirnhaare	13. Vordermittelfuß	24. Kronrand
3. Nasenrücken	14. Huf	25. Ballen
4. Maul	15. Fessel	26. Sprunggelenk
5. Kinn	16. Fesselkopf	27. Schweif
6. Ganasche	17. Ellbogen	28. Oberschenkelbein
7. Hals	18. Rippen	29. Schweifrübe
8. Schultergelenk	19. Bauch	30. Kruppe
9. Vorderbrust	20. Flanke	31. Hüfte
10. Ellbogengelenk	21. Kniescheibe	32. Rücken
11. Unterarm	22. Kniegelenk	33. Widerrist

Welche Pferdefarben gibt es?

Alle Wildpferde hatten früher eine ziemlich einheitliche, der Umgebung angepasste, graue oder braune Fellfarbe mit einem dunklen Strich entlang des Rückens, dem Aalstrich. Durch die Zucht entstanden mit der Zeit ganz verschiedene Grundfarben mit vielfältigen Schattierungen. Oft weicht sogar das Langhaar (Mähne, Schopf und Schweif) farblich vom Deckhaar (Fell) ab.

Pferde werden aufgrund ihrer Fellfarben wie folgt benannt:

RAPPE

Deckhaar und Langhaar sind schwarz

SCHIMMEL

Beim Schimmel sind das Deckhaar und das Langhaar weiß bis grau (vgl. S. 84/85 „Araber" und „Holsteiner"). Sie kommen meist mit dunklem Deckhaar (schwarz, braun oder fuchsfarben) zur Welt. Ihr Fell wird erst im Laufe der Jahre immer heller. Je nachdem, wie hell und stark schattiert es ist, kann man noch unterscheiden zwischen Rapp-, Fuchs-, Braun-, Fliegen- und Apfelschimmel.

BRAUNER

Das Deckhaar ist braun und das Langhaar schwarz, trotz des Namens „Brauner"!

FUCHS

Beim Fuchs sind das Deckhaar und das Langhaar rot oder rötlich-braun (wie beim echten Fuchs!), Foto „Württemberger".

ISABELL

Der Isabell hat gelbes bis goldgelbes Deckhaar, sein Langhaar ist aber hell. Du kannst dir als Eselsbrücke merken: Isabell = Langhaar hell

FALBE

Deckhaar cremefarben mit schwarzem Aalstrich entlang des Rückens und schwarzem Langhaar

Tobianoscheckung

Schabrakentiger

SCHECKEN

Schecken sind Pferde mit beliebiger Grundfarbe mit weißen Fellanteilen in ganz unterschiedlichen Größen.

Welche Abzeichen kennst du im Fell von Pferden?

Viele Pferde ähneln sich in der Fellfarbe, doch sie unterscheiden sich durch die angeborenen weißen Flecken an Kopf und Gliedmaßen, die sogenannten Abzeichen.

Abzeichen am Pferdekopf

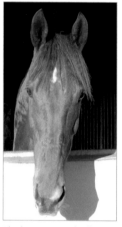
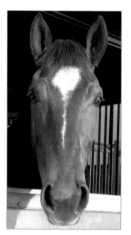
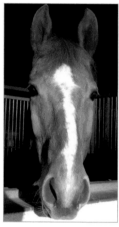

Flocke (Stirn) und Schnippe (Maul)   Stern und Schnurblesse   Durchgehende Blesse   Laterne

Abzeichen an den Pferdebeinen

Weißer Kronrand   Weißer Ballen   Halbweiße Fessel   Halbweißer Fuß   Weißer Fuß

Welche weiteren Unterscheidungsmerkmale kennst du?

Die Größe von Pferden: Das durchschnittliche Reitpferd ist etwa 1,67 m groß. Die Größe von Voltigierpferden richtet sich nach ihrem Verwendungszweck. Spiel- und Anfängergruppen brauchen kleinere Pferde als Fortgeschrittenen-, Turniergruppen- und Einzelvoltigierer. Die Größe von Pferden wird üblicherweise durch das **Stockmaß** ermittelt. Dabei wird von einem ebenen Untergrund aus mit einem Zollstock der Abstand vom Boden bis zum höchsten Punkt des Widerristes gemessen.

Das Körpergewicht: Ein durchschnittlich großes Warmblutpferd wiegt etwa 550–600 kg. Größere Warmblutpferde erreichen durchaus ein Gewicht von bis zu 700 kg, Kleinpferde und Ponys entsprechend weniger. Unter den Kaltblütern gibt es Rassen, die bis zu 1000 kg schwer werden können.

Das Geschlecht: Du kannst das Geschlecht wie folgt erkennen: Bei Stuten siehst du unter dem Schweifansatz zwei Körperöffnungen (After und Scheide), bei Hengsten und Wallachen hingegen nur eine (After). Die männlichen Pferde haben zwischen ihren Hinterbeinen den „Schlauch" zum Wasserlassen. Wallache sind kastrierte männliche Pferde, d.h. die Hoden wurden entfernt.

Das Alter: Jedes gesunde Pferd kann normalerweise ein Alter von mindestens 25 Jahren erreichen. Bei guter Fürsorge ist ein Alter bis zu 30 Jahren keine Seltenheit. Einige Ponys werden sogar bis zu 40 Jahre alt. Das Alter ist aus dem Equidenpass ersichtlich. Außerdem kann es auch an den Zähnen abgelesen werden. Auch Pferde bekommen zuerst Milchzähne. Erst mit knapp 5 Jahren sind alle Zähne durchgebrochen. Deshalb kann man bis zu diesem Alter an der Art und der Anzahl der Zähne das Alter relativ genau bestimmen. Im Alter von ca. 6–11 Jahren, wenn das Gebiss vollständig ausgebildet ist, lässt das Ausmaß der schwarzen Vertiefungen auf den Kauflächen, die „Kunden", auf das Alter schließen. Bei älteren Pferden verschwinden diese, sodass nur noch die Form der Kauflächen und die Zahnstellung Hinweise auf das Alter geben.

Was versteht man unter Interieur und Exterieur?

Das Interieur: Damit sind die inneren Werte des Pferdes gemeint, also sein Charakter, Temperament und seine Leistungsbereitschaft. Dass es hier große Unterschiede geben kann, hast du bestimmt schon in deinem Pferdesportverein und auf Voltigierturnieren beobachtet. Für Voltigierpferde ist ein ausgeglichener Charakter die wichtigste Voraussetzung. Nur durch einen artgerechten und besonnenen Umgang wird ein Voltigierpferd diese positiven Eigenschaften lange bewahren. Diese Aufgabe gehört zur Fürsorgepflicht aller Personen, die sich um das Pferd kümmern.

Das Exterieur umfasst das gesamte äußere Erscheinungsbild des Pferdes. Dazu gehören neben den oben beschriebenen Punkten auch die Stellung der Beine, das Bewegungsvermögen und die Bemuskelung.

Wozu benötigt jedes Pferd einen Pferdepass/Equidenpass?

Seit dem 01. Juli 2009 ist in Europa für jedes Pferd sechs Monate nach der Geburt ein **Equidenpass** zwingend vorgeschrieben. In der Praxis bedeutet diese Bestimmung für jeden Pferdehalter die Registrierung seines Pferdes bzw. Fohlens. Anhand dieses Ausweises **kann jedes Pferd eindeutig identifiziert werden**, denn all die oben genannten Unterscheidungsmerkmale und sogar die Wirbel, die Pferde an ganz unterschiedlichen Stellen im Fell haben, werden in den Equidenpass eingetragen. Außerdem werden alle Impfungen und Medikationskontrollen (SIEHE KAPITEL 6.8) festgehalten sowie Behandlungen mit bestimmten Medikamenten bescheinigt, falls im Equidenpass der unwiderrufliche „Schlachttierstatus" eingetragen ist.

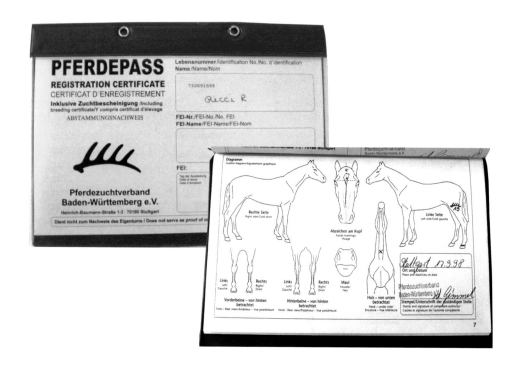

Prüfe dich selbst!

☐ Welche Pferderassen kennst du?

☐ Nenne einige Warmblüter in Deutschland und ihre Verwendung.

☐ Welche Zuchtgebiete und Brandzeichen kennst du in Deutschland?

☐ Wie werden Pferde entsprechend ihrer Farbe bezeichnet?

☐ Erkläre, was Deckhaar und Langhaar bedeuten.

☐ Welche Abzeichen kennst du am Kopf und an den Beinen?

☐ An welchen äußeren Merkmalen lassen sich Pferde voneinander unterscheiden?

☐ Wozu wird der Pferdepass/Equidenpass benötigt?

6.4 Haltung und Fütterung

Pferde verbringen einen großen Teil ihres Lebens im Stall. Es liegt in der Verantwortung jedes Pferdehalters, diese Haltung dennoch so artgerecht wie möglich zu gestalten, damit sich das Pferd in seinem Stall wohlfühlen kann. Die Gesundheit und das Leistungsvermögen des Pferdes hängen außerdem entscheidend von seiner bedarfsgerechten Fütterung ab.

Was bedeutet artgerechte Haltung?

Das Tierschutzgesetz (SIEHE KAPITEL 6.9) schreibt die artgerechte Haltung von Tieren vor. Das bedeutet für Pferde die Gemeinschaft von Artgenossen, viel frische Luft und genügend Bewegung.

Basispass

Welche Haltungsformen kennst du?

Pferde sind Herdentiere, die sowohl im Stall als auch auf der Weide die Gemeinschaft mit anderen Pferden suchen. Deshalb kommt die **Gruppenhaltung** von mindestens zwei Pferden diesem Bedürfnis entgegen.

- Die **Weidehaltung** entspricht dem natürlichen Lebensraum der Pferde am besten. Jedes Pferd sollte nach Möglichkeit wenigstens für einige Stunden am Tag Weidegang haben. Für Mutterstuten mit ihren Fohlen ist die Weidehaltung durch nichts zu ersetzen. Die Fohlen können sich dort austoben, das Sozialverhalten in der Gruppe lernen und nach Belieben grasen.

- Der **Offenstall** bietet optimale Bedingungen für Pferde. Er ist an einer Seite offen und ermöglicht den Pferden jederzeit Zugang zur Weide und viel Bewegung an der frischen Luft. Die Pferde leben dort ebenfalls in der Gruppe, haben einen Unterstand und können zwischen Stall oder Weide, Ruhe oder Bewegung wählen.

- Bei einem **Laufstall** werden mehrere Pferde zusammen in einem großen Stall untergebracht. Er wird häufig in der Aufzucht verwendet, weil er den sozialen Kontakt und die Bewegung unter den Pferden fördert.
- Die **Einzelaufstallung** ist die gängigste Form für Sportpferde. Sie schützt vor Verletzungen durch Artgenossen und ermöglicht individuelles Füttern. Sicht-, Hör- und Geruchskontakt zu anderen Pferden müssen immer gewährleistet sein.
- Eine **Einzelbox** soll so groß sein, dass sich das Pferd darin bequem hinlegen und aufstehen, in Seitenlage liegen und sich wälzen kann. Die Mindestgröße einer Einzelbox wird nach der Größe des Pferdes wie folgt berechnet: 2 x Widerristhöhe (Wh) im Quadrat = $(2 \times Wh)^2$. Für ein Voltigierpferd mit einem Stockmaß von 1,74 m bedeutet dies dann etwa einen Platzbedarf von 12 m². Die Boxenhöhe sollte ca. 3,50–4,00 m betragen.

- Ein **Paddock** ist ein Auslauf, der mindestens genauso groß sein soll wie eine Einzelbox.

Mit einem Paddock hat das Pferd Auslauf.

Ganz abzulehnen ist die Haltung in Ständern, weil sie die Pferde sehr stark einengt und damit weder art- noch bedürfnisgerecht ist. Deshalb ist sie bereits in vielen Bundesländern verboten.

Worauf ist bei einer Gruppenhaltung zu achten?
Die Pferde müssen aneinander gewöhnt sein und sich untereinander vertragen. Die Zusammensetzung der Gruppe soll möglichst selten verändert werden, da jedes neue Pferd Anlass für Auseinandersetzungen um die bestehende Rangordnung gibt. Damit die rangniedrigeren Pferde den ranghöheren ausweichen können, sollten in einem Laufstall mindestens zwei Stalltüren vorhanden sein. Beim Füttern muss darauf geachtet werden, dass jedes Pferd die ihm zugeteilte Portion erhält.

Wie sollte jede Pferdebox ausgestattet sein?
Zu jeder Box gehört eine große Tür (mind. 1,10 m breit), die sich von außen und innen leicht öffnen und schließen lässt. Pferde benötigen für ihren Stoffwechsel sehr viel natürliches Licht. Deshalb ist ein großes Fenster (mindestens 1 m²) ohne Zugluft sehr wichtig. Glatte Wände und ein ebener, rutschfester Untergrund tragen dazu bei, Verletzungen zu vermeiden. Es muss eine ausreichende, saubere und trockene Einstreu mit Stroh oder staubfreien Hobelspänen vorhanden sein, worauf sich die Pferde bequem hinlegen und sicher wieder aufstehen können.

Pferde können die Stallung überblicken, wenn die festen Trennwände höchstens brusthoch sind und darüber einen Gitteraufsatz haben. Die kantenfreie und splittersichere Futterkrippe und die Selbsttränke sollten möglichst in den Boxenecken und auf Schulterhöhe des Pferdes angebracht sein, damit es das Futter und Wasser mit leichter Halsneigung nach unten aufnehmen kann. Auch das Heu sollte in einer anderen Ecke untergebracht werden, damit es nicht so einfach in der Tränke eingeweicht werden und diese verstopfen kann. Die Tränke muss täglich auf Verschmutzungen und ihre Funktionstüchtigkeit überprüft werden. Bei Sportpferden ist immer auch ein Salzleckstein notwendig, um die hohen Salzverluste durch den Schweiß auszugleichen.

Was gehört zu einem Stall?

Die Stallgasse soll rutschfest sein und über genügend Anbinderinge verfügen. In jedem Stall werden separate Räume für Futter und Zubehör (Sattelkammer) benötigt. Hufschmied und Tierarzt benötigen einen sicheren Platz zum Beschlagen bzw. Behandeln der Pferde. Ideal ist, wenn sich der Putzplatz nicht direkt in der Stallgasse befindet, damit der aufgewirbelte Staub und Dreck nicht in die Pferdeboxen gelangt. Der Waschplatz sollte einen leicht abfallenden Untergrund mit Abfluss haben, damit das Wasser gut ablaufen kann.

Welches Stallklima sollte für Pferde herrschen?

Für die Gesundheit der Pferde muss auf das richtige Stallklima geachtet werden. Eine geringe Staub- und Schadgaskonzentration ist sehr wichtig, damit der Atmungsapparat der Pferde nicht zu sehr belastet wird. Die Ausscheidungen der Pferde erzeugen unter anderem das Schadgas Ammoniak (aus dem Urin) und sind problematisch für das Stallklima. In schlecht gemisteten Boxen kannst du

In dieser geräumigen Box fühlt sich das Pferd wohl.

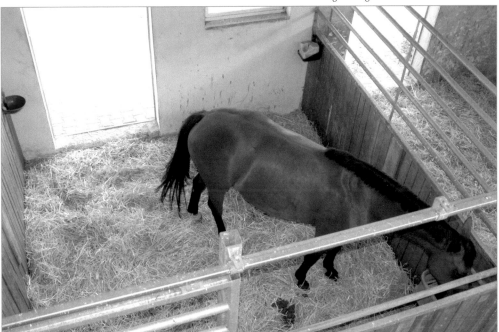

den leicht stechenden Geruch von Ammoniak wahrnehmen. Deshalb muss die Einstreu jeden Tag gewechselt werden. Der Stall muss ständig mit Frischluft versorgt werden, ohne dass es zieht. Die Temperatur soll sich von der Außentemperatur nur wenig unterscheiden. Größere Temperaturschwankungen sind abzuschwächen und extreme Temperaturen abzumildern.

Welche Unarten können Pferde im Stall entwickeln?

Die Ursachen folgender Unarten sind meist Langeweile oder fehlende Sozialkontakte:

- Beim **Koppen** setzt das Pferd die Schneidezähne am Krippenrand oder an anderen vorstehenden Gegenständen auf und schluckt deutlich hörbar Luft. Dadurch können mit der Zeit Zahnschädigungen und Ernährungsstörungen auftreten und möglicherweise sogar Koliken ausgelöst werden. Das Koppen ist den Pferden kaum mehr abzugewöhnen.
- Das **Weben** ist eine Unart, die vorwiegend in der Box zu beobachten ist. Das Pferd schaukelt rhythmisch auf den Vorderbeinen hin und her und kann somit frühzeitige Verschleißerscheinungen an den Beinen auslösen.
- Weniger folgenschwer, aber dennoch ungesund und unangenehm sind ständiges **Scharren** und Betteln nach Futter oder das Reiben der Zähne an den Gitterstäben.

Mit welchem Futter werden Pferde gefüttert?

In der Fütterung wird zwischen drei Futterarten unterschieden. Sobald dir dazu das bekannteste Futtermittel **Heu** einfällt, kannst du dir folgende „Eselsbrücke" merken: Heu sieht kraus aus und **KRauS** ist das Stichwort für das wesentliche Pferdefutter:

- **Kraftfutter:**   Einzelfutter: Hafer, Gerste, Mais, Weizenkleie, Leinsamen etc.
                   Mischfutter: Ergänzungsfutter, Mineralfutter etc.
- **Raufutter/Grobfutter:** Heu, Stroh, Gras, Grassilage, Maissilage
- **Saftfutter:**   Möhren, Rüben, Gras zu Beginn der Vegetationsperiode

Das Futter muss stets von guter Qualität sein!

Wie wird die Futtermenge festgelegt?

Die Futtermenge muss individuell auf jedes Pferd abgestimmt werden. Ausschlaggebend sind das Körpergewicht, die aktuell geforderte Arbeitsleistung des Pferdes und seine körperliche Verfassung. Wichtig ist die ausreichende Menge an Rau-/Grobfutter, vor allem Heu. Denn Pferde brauchen zur Verdauung viele Ballaststoffe. Ihr Magen ist mit einem Fassungsvermögen von etwa 10–15 Liter relativ klein. Deshalb nehmen Pferde von Natur aus viele kleinere Mahlzeiten auf. Zu viel Kraftfutter ist schädlich, weil es den Stoffwechsel belastet. Pferde dürfen im Frühjahr nicht plötzlich größere Mengen an Gras erhalten, sondern müssen durch langsam zunehmenden Weidegang an den Futterwechsel gewöhnt werden, da sie sonst leicht zu Koliken neigen (SIEHE KAPITEL 6.8). Karotten sind schmackhaft und enthalten viele Vitamine. Sportpferde sollten bei Bedarf zusätzlich ein Mineralfutter erhalten.

Als Faustregel für den **Tagesbedarf** eines regelmäßig trainierten, ca. 600 kg schweren Voltigierpferdes **in der Turniersaison** kannst du dir merken:

- **ca. 1/2 kg Hafer und/oder Ergänzungsfuttermittel pro 100 kg Pferdegewicht**
- **ca. 6 kg Heu**
- **Mineralstoffe und Vitamine**

In welchem Rhythmus wird gefüttert?

Gesunde Pferde sollten **mindestens dreimal am Tag** Kraftfutter erhalten. Die Krippe, Tränke und gegebenenfalls auch die Raufe müssen regelmäßig kontrolliert und gereinigt werden, da Verunreinigungen mit Futterresten zu Schimmelbildung und damit zu Koliken führen können. Wichtig sind feste Fütterungszeiten, auf die sich die Pferde einstellen können. Die größte Menge – vor allem an Rau-/Grobfutter – gibt es am Abend, denn anschließend hat das Pferd die meiste Zeit zum Verdauen und kann das Futter am besten verwerten.

Wie viel Wasser trinkt ein Pferd?

Der Wasserbedarf hängt neben der Größe und körperlichen Belastung des Pferdes auch von der Temperatur und der Höhe der Raufuttergabe ab. Er beträgt ungefähr **40–60 Liter am Tag**. Das Wasser soll frisch, sauber und nicht zu kalt sein. Pferde ohne Zugang zu einer Selbsttränke müssen mindestens dreimal am Tag getränkt werden, wenigstens zu den Fütterungszeiten und nach der Arbeit.

Wie läuft bei Pferden die Verdauung ab?

Die Verdauung beginnt bereits im Maul mit dem Einspeicheln des von den Zähnen zerkleinerten Nahrungsbreis. Er wandert dann durch die **Speiseröhre** in den **Magen**. Dort wird das Futter mit Magensaft versetzt, erste Nährstoffe werden herausgelöst. Dieser Nahrungs-

Merke dir

- Jedes Pferd braucht zum Fressen und zur Verdauung Zeit und Ruhe. Deshalb muss zwischen Fütterung und dem Reiten oder Voltigieren mindestens eine Stunde Pause gewährleistet sein. Ansonsten können leicht Verdauungsstörungen auftreten.

| 1. Heu | 3. Pellets | 5. Müsli | 7. Äpfel |
| 2. Stroh | 4. Hafer | 6. Karotten | 8. Gras |

brei wandert weiter in den fast 25 m langen **Dünndarm**, den Hauptort der Verdauung. Im **Dickdarm** werden anschließend die Rohfasern verarbeitet und das Wasser entzogen. Übrig bleiben alle unverwertbaren Nahrungsbestandteile, die in Form von Pferdeäpfeln über den **Mastdarm** ausgeschieden werden. Die übrigen Gift- und Abfallstoffe aus dem Stoffwechsel werden über die **Nieren** aus dem Blut filtriert und mit dem Urin ausgeschieden.

Wie wird richtig ausgemistet?

Zur Gesunderhaltung eines Pferdes muss seine Box **zweimal täglich** mit der Mistgabel oder einer engzahnigen Gabel (bei Spänen) **ausgemistet** und **mit sauberer Einstreu wieder aufgefüllt** werden. Am besten und sichersten gelingt das Ausmisten, wenn sich das Pferd nicht in der Box befindet. In einer leeren Box hast du eine viel bessere Übersicht und das Pferd kann währenddessen nicht durch die geöffnete Boxentüre entwischen.

Außerdem kann der Umgang mit den **scharfen Zinken** der Mistgabel für die empfindlichen Pferdebeine gefährlich werden. Bereits aus kleinsten, kaum sichtbaren Wunden können sich unter bestimmten Voraussetzungen schwere Entzündungen entwickeln (SIEHE KAPITEL 6.8).

Präfe dich selbst!

- ☐ *Welche Haltungsformen für Pferde kennst du?*
- ☐ *Beschreibe, was alles zu einer Einzelbox dazugehört.*
- ☐ *Wie soll ein guter Stall beschaffen sein?*
- ☐ *Was weißt du über das Stallklima?*
- ☐ *Was ist das Bestandsbuch?*
- ☐ *Wie oft und womit werden Pferde gefüttert?*
- ☐ *Wie viel Wasser trinkt ein Pferd pro Tag?*
- ☐ *Welche täglichen Arbeiten müssen im Stall erledigt werden?*

6.5 Pferdepflege

Hast du dir schon mal überlegt, warum sich Pferde auf der Koppel, in der Reithalle und sogar im Schnee wälzen? Sie pflegen auf diese Weise ihr Fell und sorgen dadurch für ihre Gesunderhaltung.

Warum muss jedes Pferd geputzt werden?

Putzen dient der **Gesundheit** des Pferdes, weil

- es **dessen Wohlbefinden steigert**, indem Schmutz, Schweiß und Fremdkörper entfernt werden,
- dabei **kontrolliert** werden kann, ob Schwellungen, Verletzungen oder Hautkrankheiten vorliegen, die behandelt werden müssen,
- durch die **Massage** der Haut die Durchblutung verbessert wird,
- es einen **wichtigen Kontakt** zum Pferd bedeutet.

Wie oft und wo werden Pferde geputzt?

Das Fell und die Hufe der Pferde müssen jeden Tag gründlich gepflegt werden. Dies geschieht am besten vor dem Reiten oder Voltigieren. Pferde sollten immer außerhalb ihrer Box geputzt werden, damit die Box nicht verunreinigt wird. Außerdem bist du selbst außerhalb der Box beim Putzen viel sicherer und hast es wegen des festen Untergrundes leichter. Ideal ist ein separater Putzplatz abseits der Stallgasse oder im Freien.

Welches Putzzeug wird zur Pferdepflege benötigt?

1. *Wurzelbürste*
2. *Kopfbürste*
3. *Mähnenbürste*
4. *Kardätsche*
5. *Striegel*
6. *Schwämme*
7. *Frotteetuch*
8. *Huffett*
9. *Pinsel*
10. *Mähnenkamm*
11. *Hufkratzer*
12. *Schweißmesser*
13. *Waschbürste für die Hufe*

Welche Hygiene-Regeln sollst du beim Putzen befolgen?

Da sich Hautpilze und Parasiten durch das Putzzeug von Pferd zu Pferd übertragen lassen, sollte jedes Pferd sein **eigenes Putzzeug** haben.

Wo ist dein sicherster Standort beim Putzen?

Am sichersten stehst du **auf Höhe der Pferdeschulter**. So kannst du Pferdekopf und Hals gut beobachten. Mit den Vorderbeinen kann das Pferd kaum zur Seite schreiten und die Hinterhufe reichen nicht so weit nach vorn.

Wie gehst du beim Putzen vor?

Geputzt wird immer von vorn nach hinten. Du beginnst auf der linken Seite und nimmst dabei die Bürste jeweils in die linke Hand. Den Hufkratzer hältst du in der rechten Hand, ebenso den Striegel während des Überbürstens mit der Kardätsche (SIEHE NACHFOLGENDE TABELLE). Manche Pferde sind am Bauch oder an den Flanken kitzelig. Sei dort besonders vorsichtig. Wenn sie die Ohren anlegen oder mit dem Schweif schlagen, darfst du mit der Bürste oder dem Striegel nicht zu fest aufdrücken.

> ## Sicher ist sicher !
>
> • Vorsicht beim Wechsel auf die andere Seite. Halte genug Abstand zu den Hinterbeinen und beobachte stets dabei das Verhalten des Pferdes, insbesondere wenn andere Pferde in der Nähe sind oder vorbeigeführt werden. Falls das Pferd in diesem Moment erschrickt, schlägt es möglicherweise aus.

In der Prüfung zeigt ihr, wie das Pferd richtig gepflegt wird.

Was gehört noch zur Pferdepflege?

Vor allem nach dem Ausreiten solltest du die **Beine abspritzen** und die **Hufe einfetten**. Um das Pferd nicht zu erschrecken, solltest du bei den Hufen beginnen und langsam bis zum Sprunggelenk bzw. Vorderfußwurzelgelenk hochspritzen. Pferde mit empfindlichen Fesselbeugen müssen dort nach dem Abspritzen gut abgetrocknet werden, damit keine Mauke entstehen kann (SIEHE KAPITEL 6.8). Verschwitzte Stellen (v.a. Sattel- bzw. Gurtlage) können bei warmem Wetter mit einem feuchten Schwamm gesäubert werden. Das Pferd kann dann auch ganz abgewaschen werden. Danach muss es aber mit dem Schweißmesser abgezogen und darf erst nach dem Abtrocknen in den Stall geführt werden.

Pferdepflege Schritt für Schritt

Ablauf	Art des Putzzeuges	Wirkungsweise	Handhabung
1	Hufkratzer	Entfernt Mist, Sand, Dreck und Steine aus den Hufen	Schmutz auf der Hufsohle immer in Richtung zur Hufzehe entfernen, aber vorsichtig im keilförmigen Hufstrahl in der Hufmitte!
2	Wurzelbürste	Löst groben Schmutz, z.B. nach dem Wälzen	Mit großen Bewegungen in Fellrichtung entlang des Fells bürsten. Bei Bedarf vorsichtig auch an den Beinen, nicht aber am Kopf.
3	Gummi- oder Eisenstriegel	Lockert den Dreck und abgetrockneten Schweiß auf	Das Deckhaar kreisförmig aufrauen. Den Eisenstriegel nur an den gut bemuskelten Stellen benutzen. Zwischendurch den Striegel auf dem Boden ausklopfen.
4	Kardätsche	Glättet das aufgeraute Fell und entfernt den feinen Staub	Stets in Fellrichtung überbürsten, auch an den Beinen. Nach jedem Bürstenstrich die Kardätsche am Striegel ausstreichen.
5	Schwamm für das Gesicht Einen anderen Schwamm für das Hinterteil	Säubert rund um die Augen, an den Rändern der Nüstern und der Maulspalte, säubert am After und den Geschlechtsteilen, entfernt den Schweiß	Die Schwämme in lauwarmem Wasser tränken, ausdrücken und vorsichtig entlang der empfindlichen Körperregionen wischen. Zur Reinigung des Kopfes vor dem Pferd stehen. Bei Reinigung der Geschlechtsteile neben dem Hinterbein stehen und den Schweif leicht anheben.
6	Kopfbürste oder weiches Tuch	Säubert und glättet das Fell am Kopf	Vorsichtig das Fell in Fellrichtung glätten. Dabei mit einer Hand das Halfter festhalten. Hinter den Ohren ruhig etwas schrubben.
7	Mähnenbürste/ Mähnenkamm	Glättet die Mähne	Mähne nach unten bürsten. Vorsichtig mit dem Mähnenkamm umgehen, nicht zu viele Haare herausreißen.
8	Die Hände	Lockern den Schweif auf und entwirren ihn	Die Schweifhaare mit den Händen verlesen, indem einzelne Strähnen vorsichtig von oben nach unten entwirrt werden. Dabei neben dem Hinterbein stehen.

Merke dir

- Pferde können im Unterschied zu den meisten anderen Tierarten schwitzen. Sie müssen nach der Arbeit zuerst trockengeführt werden, bevor die durch den Schweiß entstandenen Verklebungen aus dem Fell entfernt werden können. An kälteren Tagen kann zum Trocknen eine Abschwitzdecke aufgelegt werden.

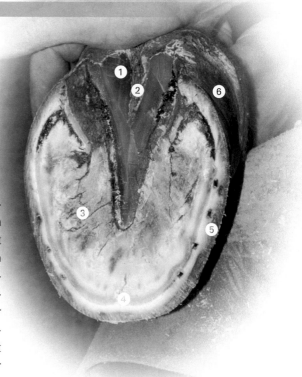

Was weißt du über den Pferdehuf?

1. Strahl
2. mittlere Strahlfurche
3. Hufsohle
4. weiße Linie
5. Hornwand
6. Trachten

Das **Horn** des Hufes ist bis auf den Hufstrahl hart und nicht empfindlich gegen Schmerz. Der hintere Teil des Hufes ist beweglich. Er weitet sich beim Aufsetzen etwas und verengt sich beim Abfußen entsprechend. Er ist deshalb auch schmerzempfindlich. Pferdehufe können Wasser aufnehmen, speichern und wieder abgeben und damit den Feuchtigkeitsgehalt recht gut regulieren. Bei feuchtem Wetter genügt es daher in der Regel, die Hufe zu säubern. In der trockenen Jahreszeit des Sommers empfiehlt es sich aber, die Hufe regelmäßig abzuspritzen.

Ob dann zusätzlich Huffett verwendet wird, hängt ganz vom Zustand der Hufe ab. Im Zweifelsfall solltest du unbedingt den Hufschmied als Fachmann befragen. Woran Pferde aufgrund mangelhafter Hufpflege erkranken können, erfährst du in Kapitel 6.8.

Wie oft müssen die Hufe gereinigt werden und wie gehst du dabei vor?

Täglich vor und nach dem Reiten und Voltigieren.

- Mit dem Hufkratzer entfernst du alle Verschmutzungen aus der Hufsohle. Kratze den Huf von seinem breiteren Teil hin zur schmaleren Zehe aus. Achte darauf, dass du nicht zu tief in die Furchen kratzt. Falls das Pferd unbeschlagen ist, musst du genau darauf achten, dass sich keine kleinen Steine in der „weißen Linie" befinden. Dies kann ansonsten zur Trennung von Hornwand und Hornsohle oder zu Hufgeschwüren und Lahmheiten führen.

- Den schmerzempfindlichen Hufstrahl reinigst du nur mit der Hufbürste.
- Stark verschmutzte Hufe spritzt du am besten mit dem Schlauch ab.
- Die noch feuchten Hufe können, sofern erforderlich, anschließend eingefettet werden. Besonders wichtig ist das Einfetten am Übergang zum Fell, dem Kronrand, weil von dort aus der Huf nachwächst.

Sicher ist sicher

- Bleibe beim Hufe auskratzen mit deinem Gesicht immer weit genug weg vom Huf.

Wie hebst du den Huf auf?

Um den linken Vorderhuf aufzunehmen, stellst du dich mit Blick zum Schweif neben die linke Pferdeschulter. Mit der linken Hand umfasst du die Fessel und verlangst energisch „Fuß". Reagiert das Pferd nicht, kannst du dich zusätzlich etwas gegen die Pferdeschulter lehnen. Sobald das Pferd sein Bein angehoben hat, achtest du darauf, dass alle Gelenke des Beines angewinkelt sind, dann hat das Pferd am wenigsten Kraft zum Austreten. Nun kannst du mit der rechten Hand den Huf auskratzen.

Warum muss jedes Pferd regelmäßig zum Hufschmied?

Die Hufe des Pferdes wachsen genauso nach wie deine Fingernägel. Sie müssen alle 6–8 Wochen gekürzt und begradigt werden. Der Hufschmied schneidet dabei mit seinen scharfen Werkzeugen das Horn zurück und feilt die äußere Kante des Trage-randes mit einer großen Feile eben. Er prüft dabei die Festigkeit und Elastizität und den Pflegezustand. Benö-tigen die Pferde Hufeisen, erhitzt er diese zum exakten Anpassen und nagelt sie mit 6–8 Hufnägeln fest. Wenn ein Pferd einen zu steilen oder zu flachen Huf hat, kann der Hufschmied dies durch einen Spezialbeschlag korrigieren.

Merke dir

- Ein Pferd ist nur auf gesunden Hu-fen voll leistungsfähig. Deshalb musst du immer sorgfältig auf die gründliche Pflege und den guten Beschlag achten.

Prüfe dich selbst!

☐ *Warum müssen Pferde regelmäßig geputzt werden?*
☐ *Welche Gegenstände werden zum Putzen benötigt?*
☐ *Was ist beim Abspritzen des Pferdes zu beachten?*
☐ *Welche Sicherheitsregeln musst du beim Putzen und Hufe auskratzen beachten?*
☐ *Zeige, wie du einen Pferdehuf aufhebst.*
☐ *Warum ist die Hufpflege so wichtig?*

6.6 Ausrüstung des Voltigierpferdes

Jedes Voltigierpferd muss für die Arbeit an der Longe fachgerecht ausgerüstet sein. Auf eine hochwertige Qualität und gute Passform muss größter Wert gelegt werden. Eine konsequente, korrekte und vielseitige Ausbildung an der Longe ist für ein Voltigierpferd unerlässlich.

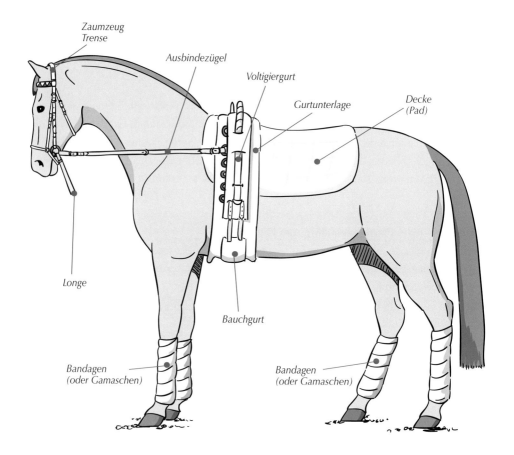

Zaumzeug Trense · Ausbindezügel · Voltigiergurt · Gurtunterlage · Decke (Pad) · Longe · Bauchgurt · Bandagen (oder Gamaschen) · Bandagen (oder Gamaschen)

Ab VA 4

Welche Ausrüstung ist für Turnierpferde zulässig?

Der **§ 72 der LPO** regelt, welche Ausrüstungsgegenstände für ein Voltigierpferd bei Voltigierturnieren und Abzeichenprüfungen verwendet werden dürfen. Folgende Ausrüstung ist zulässig:

- Eine Trense mit einem Gebiss (am Maulwinkel gemessen mindestens 14 mm dick). Anstelle einer Trense (oder zusätzlich) kann ein **Kappzaum** verwendet werden.
- Ein **Voltigiergurt** mit zwei **Ausbindezügeln** (mit oder ohne Gummiringe) und Gurtunterlage. Bei Prüfungen für A-Gruppen kann anstelle der Ausbinder ein Laufferzügel verwendet werden, dessen Dreieck nicht größer als 15 cm sein darf.
- Eine **Voltigierdecke (Pad)** und zusätzlich ein Gelpad. Die Höchstmaße der Voltigierdecke sind genau vorgeschrieben.

- Fell- oder sonstige **schonende Unterlagen** am Gurt und/oder an der Trense sind erlaubt.
- Eine mindestens acht Meter lange **Longe**, die nur am inneren Gebissring oder am mittleren Ring des Kappzaums befestigt werden darf und lang genug für die vorgeschriebene Zirkelgröße von mindestens 15 Metern ist.
- Eine **Longierpeitsche**, die so lang sein muss, dass ihr Schlag das Pferd erreicht.
- **Bandagen oder Gamaschen** zum Schutz der Beine vor äußeren Verletzungen.
- Außerdem sind erlaubt: **Fliegen- und Hörschutz** an den Ohren, **Gummischeiben** am Trensengebiss und **Springglocken**.

Welche Ausrüstung ist außerdem bei den Einstiegsabzeichen VA 10, VA 9 und VA 7 möglich?
Bei den VA 10, VA 9 und VA 7 dürfen auch andere Hilfszügel wie z.B. der Dreieckszügel eingesetzt werden. Hier gilt § 70 F.V der LPO „Die Ausrüstung der Pferde muss den Regeln der Reitlehre (Richtlinien, Band 1 und 2) und den Grundsätzen der Unfallverhütung und des Tierschutzes entsprechen."

Merke dir

- Bei den **Einstiegsabzeichen** darf der Ausbindezügel für die Übungen im Schritt verlängert werden, damit das Pferd den Hals besser strecken kann.

Aus welchen Teilen besteht eine Trense?

1. Genickstück
2. Stirnriemen
3. Nasenriemen
4. Sperrriemen
5. Gebiss
6. Longe (anstelle des Zügels)
7. Gebissring
8. Kehlriemen
9. Backenstück
10. Reithalfter

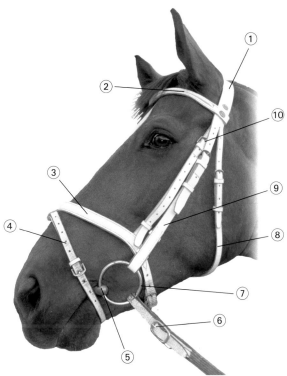

Wie wird die Trense richtig aufgelegt?

- Zum Auftrensen stellst du dich neben die linke Pferdeschulter. Du hältst die Trense mit der rechten Hand an beiden Backenstücken und legst den Handballen auf den Nasenrücken.
- Mit der linken Hand schiebst du das Trensengebiss ins Pferdemaul. Wenn das Pferd sein Maul nicht gleich öffnet, drückst du mit dem linken Daumen vorsichtig auf die Lade.
- Dann schiebst du das Gebiss in das geöffnete Maul und führst das Genickstück mit der rechten Hand über die Pferdeohren.
- Vor dem Zuschnallen legst du den Schopf und die Mähne über das Stirnband und ziehst das Reithalfter gerade.
- Der Kehlriemen wird so weit zugeschnallt, dass eine aufrechte Handbreite zwischen Kehle und Kehlriemen Platz hat. Danach schließt du den Nasenriemen und gegebenenfalls den Kinnriemen.
- Zwischen dem Nasenrücken und dem Nasenriemen müssen zwei Finger Platz haben, Gleiches gilt für den Kinnriemen.
- Beim Abtrensen öffnest du diese Riemen in umgekehrter Reihenfolge und nimmst das Genickstück vorsichtig über die Ohren ab.

So wird richtig aufgetrenst.

Wie muss der Voltigiergurt beschaffen sein?

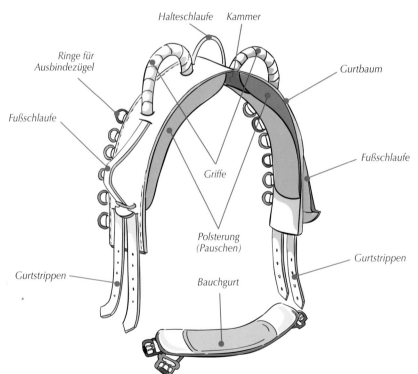

Halteschlaufe   Kammer
Ringe für Ausbindezügel
Gurtbaum
Fußschlaufe
Fußschlaufe
Griffe
Polsterung (Pauschen)
Gurtstrippen
Gurtstrippen
Bauchgurt

Ein Voltigiergurt sollte ganz aus Leder sein, mit zwei großen, stabilen Griffen (dazwischen mit einer festen Halteschlaufe) und zwei Fußschlaufen. Der Gurt muss gerade auf dem Pferderücken aufliegen und darf nicht auf den Widerrist drücken. Dazu gehört ein gepolsterter Bauchgurt von mindestens 10 cm Breite, mit Schnallen auf beiden Seiten. Die Gurtstrippen müssen so verschnallt werden, dass sie nicht herumflattern können.

Damit der Druck, den die Voltigierer beim Aufspringen und beim Voltigieren auf das Pferd ausüben, gleichmäßig verteilt wird, muss die Gurtpolsterung gleichmäßig und fest aufliegen. Durch einen schlecht sitzenden Voltigiergurt können Muskelverspannungen entstehen. Diese machen sich häufig durch Schweifschlagen, Wegdrücken des Rückens, Aufrollen des Pferdehalses und Bocken bei Aufsprüngen und Schwüngen bemerkbar.

Merke dir

- Ein schlecht sitzender Gurt lässt sich niemals durch eine Unterlage korrigieren. Sein korrekter Sitz muss regelmäßig überprüft und die Polsterung gegebenenfalls aufgepolstert werden.

Was musst du beim Auflegen des Voltigiergurtes und der Decke beachten?

Zuerst legst du von der linken Seite die Decke von vorn nach hinten in Fellrichtung gerade auf dem Pferderücken auf. Sie soll glatt auf dem Pferd aufliegen, um Scheuerstellen zu vermeiden, und so angebracht werden, dass sie nicht rutschen kann. Die Gurtunterlage und der Gurt werden nun über die Decke am Widerrist aufgelegt. Bevor du den Bauchgurt locker schließt, darfst du nicht vergessen, auf der rechten Seite die Lage der Ausrüstung zu kontrollieren. Manche Pferde wehren sich heftig gegen das Aufgurten, wenn der Gurt gleich zu fest angezogen wird. Dadurch können sie einen Sattelzwang entwickeln.

Was musst du beim Anlegen von Bandagen und Gamaschen beachten?

Bandagen müssen sorgfältig angelegt werden. Sie dürfen weder zu fest angezogen werden, noch Falten schlagen. Sonst kann dies zu Druckstellen, Blutstauungen und damit zu Bewegungsstörungen führen. Deshalb ist viel Übung erforderlich. Achte darauf, dass sich das Bandagenende an der Außenseite des Beines befindet und nach hinten zeigt. Die Bänder müssen gut verstaut werden und der Knoten darf keinesfalls direkt auf die Sehne an der Hinterseite des Beines drücken. Leichter lassen sich Bandagen mit einem Klettverschluss verschließen.

Gamaschen müssen glatt auf dem Fell aufliegen. Die Verschlüsse sollen auf der Beinaußenseite nach hinten zeigen. So wird verhindert, dass ein Pferd beim Ausreiten z.B. an Zweigen hängen bleibt.

Wo wird die Ausrüstung des Voltigierpferdes aufbewahrt?

In einer staubfreien, gut belüfteten Sattelkammer oder in einem Schrank, aber niemals im Stall wegen des Stalldunstes. Wichtig ist, dass das Leder nicht verhärten und auch nicht schimmeln kann.

Wie wird die Ausrüstung gepflegt?

Alle verunreinigten Lederteile der Ausrüstung werden mit einem feuchten Schwamm und Sattelseife gereinigt. Wenn das Leder getrocknet ist, wird es mit Lederfett oder Lederöl eingefettet, um es geschmeidig zu halten. Auf die Stellen, die direkt auf dem Pferdefell aufliegen (z.B. die untere Seite des Gurtes) wird das Lederöl nur ganz dünn aufgetragen, damit dort nicht das Fell ausgeht. Nach jeder Reit- und Voltigierstunde wird das Trensengebiss mit klarem Wasser abgespült. Zum Reinigen wird die Trense teilweise auseinandergeschnallt. Auch der lederne Peitschenschlag wird hin und wieder mit Sattelseife gereinigt. Es ist nicht ratsam, diesen einzufetten, da er sonst zu schwer wird.

Sicher ist sicher !

- Eine schlecht gepflegte Ausrüstung kann ein Unfallrisiko sein, denn Leder kann mangels regelmäßiger Pflege brüchig werden und reißen.

6.7 Longieren

Ab VA 2

Was bedeutet Longieren?

Es bedeutet, das Pferd vom Boden aus auf einem möglichst großen Zirkel zu trainieren. Ziel des Longierens ist ein durchlässiges, feinfühliges und gut konditioniertes Pferd. Es wird an der Longe genauso wie unter dem Sattel nach den Grundsätzen der „Skala der Ausbildung" ausgebildet und gearbeitet. Der Longenführer muss in der Lage sein, die Grundgangarten eines Pferdes zu beurteilen und zu verbessern. Dazu braucht er ein geschultes Auge und eine sichere, feinfühlige Hilfengebung.

Wie müssen die Longenführer ausgerüstet sein?

Zur zweckmäßigen Kleidung des Longenführers gehört aus Sicherheitsgründen immer festes Schuhwerk. Handschuhe können benutzt werden.

Welche Hilfen gibt es beim Longieren und wie werden diese eingesetzt?

Die Hilfen des Longenführers sind die Longe, die Peitsche und die Stimme. Die Longe wird am inneren Gebissring eingehängt und wirkt über das Gebiss auf das Pferdemaul. Deshalb muss der Longenführer stets gefühlvoll damit umgehen. Korrekt ausgebildete Pferde reagieren feinfühlig auf jede annehmende und nachgebende Longenhilfe. Mit der Peitsche treibt der Longenführer das Pferd vorwärts. Er muss die Handhabung sicher beherrschen, damit die Peitsche vom Pferd akzeptiert wird. Zusätzlich kann der Longenführer seine Stimme vorwärtstreibend oder beruhigend einsetzen. Diese Hilfen dürfen nicht einzeln und nicht willkürlich eingesetzt werden, sondern in einem wohl abgestimmten Zusammenwirken. Die Kombination aus Annehmen der Longe, Treiben mit der Peitsche und kurzem Durchhalten der Longe mit anschließendem Nachgeben aus dem Handgelenk wird auch halbe Parade genannt. Erfolgreich Longieren kann nur, wer diese Hilfen individuell und wohl dosiert für jedes Pferd einsetzen kann und die Reaktionen des Pferdes hierauf kennt.

Merke dir

- Pferde können die Hilfen des Longenführers nur verstehen und angemessen darauf reagieren, wenn diese im richtigen Moment feinfühlig und korrekt gegeben werden.

Wie wird ein Pferd beim Longieren korrekt ausgebunden?

Beide Ausbinder sollen am Voltigiergurt auf gleicher Höhe angebracht sein. Damit sich das Pferd auf die Zirkellinie einstellen kann, wird der innere Ausbinder etwas kürzer verschnallt. Die Ausbinder haben die richtige Länge, wenn das Genick den höchsten Punkt bildet und die Nasenlinie des Pferdes etwas vor der Senkrechten steht. So kann das Pferd in gleichmäßiger Anlehnung und Selbsthaltung gehen. Der Einsatz von Lauffer- oder Dreieckszügeln ermöglicht dem Pferd etwas mehr Bewegungsspielraum und kann ihm dadurch die Anlehnung an das Gebiss erleichtern. Ohne Anlehnung kann das Pferd keinen Schwung und keine Längsbiegung entwickeln. Durch zu enges Ausbinden geht neben der Rückentätigkeit die Balancierfähigkeit des Pferdes verloren!

Welche Grundgangarten des Pferdes kennst du?

- Der **Schritt** ist eine schwunglose Gangart im Viertakt. Das Pferd schreitet mit seinen vier Beinen nacheinander vorwärts. Die Bewegung erfolgt gleichseitig, aber nicht gleichzeitig, weil erst das Hinterbein vor dem gleichseitigen Vorderbein vorgesetzt wird.
- Der **Trab** ist eine schwunghafte Gangart im Zweitakt. Dabei tritt das Pferd immer mit seinen diagonalen Beinpaaren gleichzeitig vor.
- Der **Galopp** ist ebenfalls eine schwunghafte Gangart im Dreitakt. Man unterscheidet zwischen Links- oder Rechtsgalopp. Im Linksgalopp springt das Pferd in folgender Fußfolge: Rechter Hinterfuß, linker Hinterfuß und rechter Vorderfuß gleichzeitig, linker Vorderfuß, Schwebephase.

Wie unterscheidest du den Linksgalopp vom Rechtsgalopp?

Achte darauf, welches gleichseitige Beinpaar (Vorder- und Hinterbein) in der Galoppbewegung weiter nach vorne springt als das andere. Beim Linksgalopp muss es das linke Beinpaar sein.

Woran erkennst du den Außengalopp oder den Kreuzgalopp?

Beim Außengalopp auf der linken Hand springt das Pferd mit dem rechten Beinpaar weiter vor als mit dem linken. Beim Kreuzgalopp springen entweder das linke Vorderbein und das rechte Hinterbein weiter nach vorn oder die umgekehrte Diagonale.

Beschreibe die ideale Galoppade eines Voltigierpferdes!

Ein Voltigierpferd sollte von Natur aus eine gute Galoppade besitzen. Gewünscht wird ein rhythmischer, ausbalancierter und gleichmäßiger Galopp. Jedes Voltigierpferd muss ständig die Gewichtsverlagerungen der Voltigierer ausgleichen, ohne den Takt und Schwung zu verlieren. Das ideale Tempo muss für jedes Pferd individuell ermittelt werden.

Ganz wichtig ist, den Fleiß stets zu erhalten, da dieser die Grundlage für den Takt bildet. Die Rückentätigkeit und damit die Losgelassenheit sind nur möglich, wenn das Pferd Dehnungsbereitschaft zeigt, indem es das Genick nach vorn schiebt. Bei gleichzeitigem weitem Vorspringen bzw. Untertreten der Hinterbeine entsteht eine Zugwirkung auf die Rückenmuskulatur, aus welcher sich die Losgelassenheit ergibt. Das „Durchspringen" muss klar erkennbar sein. Ein kurzes Vorspringen des Hinterbeines weist auf Mängel in der Rückentätigkeit hin. Das Pferd muss geradegerichtet sein.

> **Merke dir**
> - Die Kriterien des Geraderichtens sind das Einhalten einer gleichmäßigen Zirkellinie. Das äußere Hinterbein tritt hufschlagdeckend in die Spur des äußeren Vorderbeines.

Was weißt du über die Pferdenote beim Voltigierturnier?

Das Pferd wird gemäß der „Skala der Ausbildung" und dem Aufgabenheft Voltigieren beurteilt.

Folgende Kriterien sind besonders wichtig:
- die taktmäßige und losgelassene Galoppade in korrekter Anlehnung
- das energische Abfußen mit der Hinterhand
- die korrekte Stellung des Pferdes
- das Pferd ist unter Belastung ausbalanciert
- die korrekte treibende Hilfengebung
- konstantes Einhalten der Zirkellinie

Welche Abzüge gibt es von der Pferdenote?

Bis zu 1 Punkt Abzug sind jeweils möglich für
- Mängel in der Ausrüstung
- eine Zirkelgröße von weniger als 15 m Durchmesser

1 Punkt Abzug erfolgt für die Unterbrechung der Vorstellung, um die Ausrüstung zu korrigieren.

Wann ist ein Pferd den Anforderungen beim Voltigieren gewachsen?

Wenn es gesund, ausgeglichen und korrekt ausgebildet ist sowie über eine gute Kondition verfügt. Ein regelmäßiges Gymnastizieren unter dem Sattel auf beiden Händen und ein vielseitiges Ausgleichstraining bilden die Grundlagen für einen erfolgreichen Einsatz im Voltigiersport. Pferde sind erst im Alter von etwa fünf Jahren ausgewachsen. Erst dann sollte mit der Voltigierausbildung begonnen werden.

Prüfe dich selbst!

☐ Welche Ausrüstung ist für Turniere und bei der Abzeichenprüfung erlaubt?

☐ Zeige, wie ein Pferd aufgetrenst wird.

☐ Aus welchen Teilen besteht der Voltigiergurt?

☐ Worauf ist beim Bandagieren zu achten?

☐ Warum muss die Ausrüstung regelmäßig gepflegt werden?

☐ Welche Hilfen gibt es beim Longieren?

☐ Woran erkennst du, ob das Pferd die Hilfen des Longenführers annimmt?

☐ Beschreibe die Grundgangarten und die Fußfolge in den drei Grundgangarten.

☐ Wie soll die Galoppade eines Voltigierpferdes sein?

☐ Wie werden die Ausbinder richtig verschnallt?

☐ Was wird bei der Pferdenote beurteilt?

6.8 Pferdegesundheit

Artgerechte Fütterung und gründliche Pflege, genügend Bewegung und korrekte Ausbildung sorgen für die Gesunderhaltung der Pferde. Bestimmte Krankheiten lassen sich durch **vorbeugende Maßnahmen** (Impfungen und Entwurmungen) erfolgreich abwehren. Trotzdem lassen sich Erkrankungen leider nicht immer verhindern. Je früher erste **Krankheitsanzeichen erkannt** werden und je schneller ein Pferd behandelt wird, desto besser sind seine Chancen auf Genesung.

Was sind die wichtigsten Impfungen für Pferde?

Die Impfung gegen **Tetanus** oder Wundstarrkrampf alle zwei Jahre ist beim Pferd besonders wichtig, weil es sehr empfänglich für diese Erkrankung ist. Die Erreger lösen meistens in tiefen Wunden (wie z. B. Stichverletzungen, Nageltritte, Nabelinfektionen) oder auch in verkrusteten oberflächlichen Wunden eine Tetanusinfektion aus. Das von den Tetanusbakterien produzierte Gift führt über eine Schädigung des Nervensystems zu Dauerkrämpfen und damit zur Versteifung der gesamten Muskulatur. Die Mehrheit der Tetanuserkrankungen endet beim Pferd tödlich.

Die **Influenza** des Pferdes (Pferdegrippe) ist eine hoch ansteckende, fieberhafte Viruserkrankung der Atemwege. Deshalb ist der durchgängige Impfschutz gegen Influenzaviren für alle Turnierpferde vorgeschrieben. Dafür ist nach einer Grundimmunisierung alle 6 Monate eine Wiederholungsimpfung durchzuführen. Der maximal erlaubte Zeitraum hierfür beträgt 6 Monate + 21 Tage. Pferde, die nicht oder in zu großen Abständen geimpft wurden, erhalten gemäß **§ 66.6.10 LPO** keine Starterlaubnis und müssen **sofort den Turnierplatz** verlassen.

Auch **Herpesviren** können insbesondere bei jungen Pferden Atemwegserkrankungen auslösen. Kombinationsimpfstoffe für Pferde gegen Herpes- und Influenzaviren sind für Pferde erhältlich.

Die Impfung gegen **Tollwut** ist für Pferde mit Weidegang in Gebieten mit Tollwutgefahr empfehlenswert. Die Tollwut ist eine akute, tödlich verlaufende Viruserkrankung der Säugetiere und des Menschen. Durch Bisse infizierter Tiere wird das Tollwutvirus mit dem Speichel übertragen. Tollwütige Füchse sind dabei die wichtigsten Überträger. Das Gesetz schreibt vor, dass infizierte Pferde getötet werden müssen. Sie würden eine Erkrankung an Tollwut – wie andere Tiere und der Mensch auch – nicht überleben. Der Amtstierarzt kann über die aktuellen Verbreitungsgebiete der Tollwut informieren und Impfempfehlungen aussprechen.

Wann ist eine Wurmkur fällig?

Pferde können eine Vielfalt von Endoparasiten beherbergen, die bei massivem Befall zu Erkrankungen, z.B. Abmagerung und Kolik, führen können. Häufig ist dabei der Befall des Magen-Darmtraktes mit **Rund- und Bandwürmern**. Wurmeier (oder -larven) werden mit dem Pferdekot ausgeschieden und entwickeln sich weiter, bis sie schließlich vom Pferd beim Grasen wieder aufgenommen werden. Im Pferdekörper reifen dann die erwachsenen Würmer heran. Durch die regelmäßige Entfernung des Pferdekotes von den Weiden wird das Infektionsrisiko der Pferde mit Wurmeiern ganz erheblich gemindert, aber nicht gänzlich vermieden. Deshalb sollen Pferde zusätzlich regelmäßig **auf Wurmbefall untersucht** werden. Je nach Befund und eingesetztem Wirkstoff wird dann **bis zu**

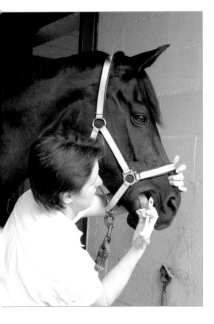

viermal im Jahr entwurmt. Die Wurmkur wird nach dem Gewicht des Pferdes dosiert und meist in Form einer Paste ins Maul verabreicht (SIEHE FOTO).

Warum gibt es eine Verfassungsprüfung?

Bei der Verfassungsprüfung wird der Gesundheitszustand der Pferde vor dem Turnierstart von einem Tierarzt und einem Richter beurteilt. Damit soll sichergestellt werden, dass **nur gesunde Pferde**, die den sportlichen Anforderungen gewachsen sind, an den Start gehen. Die Verfassungsprüfung ist in **§ 67 LPO** geregelt. Sie ist im Voltigiersport bei Bundes- und Landesmeisterschaften vorgeschrieben.

Wo und warum werden Pferdekontrollen durchgeführt?

Durch Pferdekontrollen wird das **pferdegerechte Verhalten** aller Teilnehmer, Ausbilder und Hilfspersonen mit dem Pferd im Turniersport sichergestellt. Sie können gemäß **§ 67 LPO auf jedem Turnier**, auch auf Voltigierturnieren, durchgeführt werden. Dabei untersuchen ein Tierarzt und ein Richter den **Gesundheitszustand** des Pferdes sowie seine **Ausrüstung und Zäumung** (SIEHE KAPITEL 6.6). Sie überprüfen u.a., ob das Pferd Verletzungen im Maulwinkelbereich, den Flanken oder der Sattellage hat und ob das Pferd korrekt beschlagen bzw. ausgeschnitten ist. Dies geschieht in der Regel nach dem Start, um die sorgfältige Prüfungsvorbereitung nicht zu stören. Der Longenführer sollte möglichst dabei sein. Auffällige Ergebnisse werden in einem Untersuchungsprotokoll gemäß LPO festgehalten. Der Longenführer/ Besitzer des Pferdes muss dann mit einer Verwarnung oder sogar mit einer Ordnungsmaßnahme gemäß § 920 ff. LPO rechnen.

Außerdem kann sofort eine Verfassungsprüfung oder eine Medikationskontrolle (Dopingkontrolle) angeordnet werden. Falls bei einem Pferd gemäß § 67 LPO verbotene Substanzen oder Medikamente nachgewiesen werden, wird es disqualifiziert. Jeder schuldhafte Verstoß des Reiters, Fahrers, Longenführers, Pferdebesitzers oder sonstiger Beteiligter wird nach den Bestimmungen der LPO geahndet.

Welche Anzeichen (Symptome) weisen auf eine Krankheit beim Pferd hin?

Es gibt eine Vielfalt unspezifischer Symptome, die bei verschiedenen Krankheiten auftreten können:

- Fressunlust (Inappetenz)/Gewichtsverlust
- Teilnahmslosigkeit (Apathie)
- erhöhte/erniedrigte Körpertemperatur (Fieber/Untertemperatur)
- erhöhte/erniedrigte Pulsfrequenz und/oder
- erhöhte/erniedrigte Atemfrequenz
- Schweißausbrüche
- trübe Augen/raues, glanzloses Fell
- Leistungsabfall/rasche Ermüdung/Arbeitsunwilligkeit

Andere Symptome hingegen lassen auf die Beteiligung bestimmter Organsysteme an der Erkrankung schließen, z.B.:

- Unruhe/Wälzen/Stöhnen
- Husten/Nasenausfluss
- vermehrter Tränenfluss
- Lahmheiten/Bewegungsstörungen
- Hautverletzungen oder Schwellungen

Wie reagierst du, wenn du bei einem Pferd eine Krankheit vermutest?

Du informierst sofort deinen Longenführer und/oder den Besitzer des Pferdes oder des Stalles. Diese sollten das Pferd sogleich begutachten und gegebenenfalls nach Rücksprache mit dem Pferdebesitzer entscheiden, ob ein Tierarzt gerufen werden soll.

Wie lässt sich die Kreislaufsituation von Pferden beurteilen?

Durch Messung von **Puls-** und **Atemfrequenz** und der **(Körperinnen-)Temperatur (PAT-Werte)** kann die aktuelle Kreislaufsituation von Pferden relativ schnell überschaut werden. Die Referenzbereiche in Ruhe verändern sich unter Belastung und in Stresssituationen aber auch bei Krankheit.

Werte	Ruhezustand	große Anstrengung
Puls Pferd Fohlen	28–40 Herzschläge/Min. ca. 80 Herzschläge/Min.	bis zu 220 Herzschläge/Min.
Atmung Pferd Fohlen	10–16 Atemzüge/Min. 24–30 Atemzüge/Min.	bis zu 80–100 Atemzüge/Min.
Temperatur Pferd Fohlen	37,5–38,2 °C 37,5–38,5 °C	maximal 41 °C

Welche Erkrankungen der Bronchien und der Lunge kennst du?

Die **akute Bronchitis** ist eine Entzündung der Bronchialschleimhaut. Mit Fieber einhergehend ist sie häufig die Folge einer Virusinfektion (**Influenza**). Aber auch das Einatmen von Schadgasen und Heustaub bzw. Schimmelpilzen kann zur Reizung der Atemwege und damit zur Bronchitis führen. Die Atmung wird dabei durch die vermehrte Sekretion behindert, die als Nasenausfluss zutage treten kann. Ein weiteres Symptom ist der Husten, der bei Anstrengung verstärkt auftreten kann. Bei unvollständiger Ausheilung geht die akute Erkrankung in ein chronisches Stadium, die **chronische Bronchitis**, über – insbesondere dann, wenn allergische Reaktionen hinzukommen. Dabei können die Atemwege so verengt sein, dass das Pferd wesentliche Atembeschwerden hat. Diese Schweratmigkeit kann im schlimmsten Fall zur chronisch-obstruktiven Bronchitis = COB (der sogenannten **Dämpfigkeit**) führen. In diesem Stadium kannst du die sogenannte Dampfrinne entlang des Rippenbogens erkennen, die durch den verstärkten Einsatz der Bauchmuskulatur bei der Atmung zustande kommt. Die Lunge des Pferdes ist dann so schwer geschädigt, dass es im Turniersport nicht mehr eingesetzt werden kann.

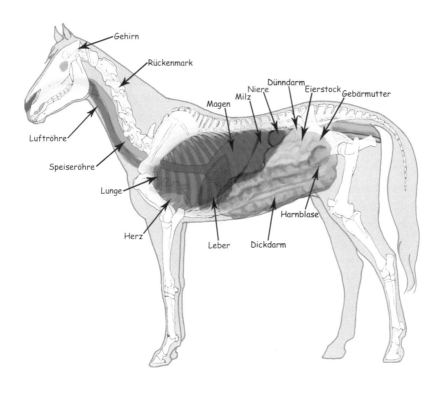

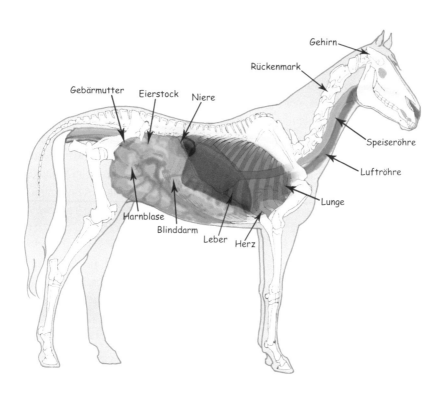

Was sind Haken?

Haken sind durch ungenügende, ungleiche Abnutzung der Zähne oder fehlerhafte Kaubewegung entstandene **scharfe, spitze Kanten** an der Außenseite der **Oberkieferzähne** und an der Innenseite der **Unterkieferzähne**. Das Pferd frisst langsamer und weniger und magert immer mehr ab. Das Futter fällt teilweise wieder in kleinen Futterklumpen aus dem Maul heraus. Damit das Pferd wieder normal fressen kann, müssen die Haken vom Tierarzt mit einer Feile abgeraspelt werden. Empfehlenswert ist eine regelmäßige Kontrolle der Zähne durch den Tierarzt.

Was ist eine Kolik?

Als Kolik werden **schmerzhafte Veränderungen** im Bauchraum bezeichnet, die beim Pferd in der Regel den **Magen-Darmtrakt** betreffen. Die anatomischen Gegebenheiten seines Verdauungstraktes machen das Pferd besonders anfällig für diese Erkrankung. Der relativ lose aufgehängte Darmtrakt des Pferdes ist mit ca. 25 Metern ungefähr so lang wie drei Longen hintereinander. Daher können sich die Darmteile des Pferdes verdrehen, verschlingen, einklemmen oder einstülpen. Daneben kann der Darm verstopfen.

Sicher ist sicher

- Pferde mit starken Bauchschmerzen reagieren oft unberechenbar und mit heftigen, unkontrollierten Bewegungen. Sie können sich plötzlich hinwerfen und wälzen. Gehe deshalb nie zu einem Koliker in die Box!

Als Ursachen kommen u.a. Futterumstellung (z.B. von Heu auf Gras) und Fütterungsfehler (zu viel Futter oder falsches bzw. verdorbenes Futter), sowie Bewegungseinschränkung oder auch Stress infrage. Pferde mit Kolik sind wegen ihrer Bauchschmerzen meistens unruhig, ziehen den Bauch auf und schwitzen. Diese Unruhe des Pferdes äußert sich zumeist durch Scharren mit den Vorderbeinen, Umschauen zum Bauch, Herumlaufen in der Box und Wälzen. Der Tierarzt muss immer sofort gerufen werden, denn jede Kolik kann lebensbedrohlich sein!

Was ist ein Kreuzverschlag?

Der Kreuzverschlag ist eine **belastungsbedingte Muskelerkrankung**. Die Erkrankung tritt zumeist bei Arbeits- und Turnierpferden in guter Kondition auf, wenn sie nach einer Zeit der Ruhe, z.B. einem Stehtag, in der sie die volle Futterration erhalten haben, wieder gearbeitet werden. Die betroffenen Pferde schwitzen, zittern und reagieren ängstlich. Sie zeigen einen kurzen steifen Gang und bewegen sich nur noch widerwillig. Insbesondere die **Kruppenmuskulatur** ist schmerzhaft und meist **verhärtet**. Ihr Harn kann rotbraun bis schwarz verfärbt sein. Diese Pferde sollen eingedeckt und auf keinen Fall bewegt werden. Der Tierarzt muss schnellstens informiert werden. Ohne sofortige Behandlung können nicht behebbare **Schäden der Muskulatur zurückbleiben**.

Woran erkennst du Augenverletzungen?

Pferde fügen sich relativ häufig Verletzungen an den Augen zu, z.B. durch Eindringen von Pflanzenteilen oder Holzsplittern des Weidezaunes. Daneben können auch durch Unachtsamkeiten (z.B. beim Auftrensen) Verletzungen entstehen. Diese Pferde **blinzeln** meist verstärkt, haben **tränende Augen** und eventuell auch **geschwollene Lider**. Der Tierarzt muss in jedem Fall möglichst schnell klären, ob die Hornhaut und auch noch tiefere Schichten des Auges betroffen sind. Augenverletzungen müssen unbedingt sofort und regelmäßig behandelt werden, andernfalls können die Pferde erblinden!

Was weißt du über Lahmheiten?

Lahme Pferde dürfen auf keinen Fall gearbeitet werden. Denn Lahmheit ist Ausdruck für die Erkrankung einer oder mehrerer Gliedmaßen. Sie kann sich bereits beim stehenden Pferd und/oder in der Bewegung zeigen. Das Pferd geht dann nicht mehr taktrein vorwärts. Lahmheiten können ganz verschiedene Ursachen haben wie z.B. Schädigungen bzw. krankhafte Veränderungen von Muskeln, Knochen, Gelenken, Sehnen und Bändern. Es ist Aufgabe des Tierarztes, die Ursache für die Bewegungsstörung herauszufinden und ob sie mit Schmerzen verbunden ist, um schließlich eine entsprechende Therapie einzuleiten.

Was ist ein Einschuss?

Ein Einschuss ist eine diffuse, **eitrige Entzündung der Unterhaut (Phlegmone)** an den **Gliedmaßen**, die zu flächenhafter Ausbreitung und zum Übergreifen auf benachbartes Gewebe neigt. Sie kann als Wundinfektionen nach Hautverletzungen, Streichwunden, Kronentritten, Strahlfäule oder Mauke (SIEHE FOTO) entstehen. An der betroffenen Stelle entsteht eine warme, schmerzhafte Schwellung, die sich rasch ausbreitet. Um diese einzudämmen und eine mögliche Abszessbildung oder gar Blutvergiftung zu verhindern, ist eine sofortige Behandlung durch den Tierarzt erforderlich. So wird einem chronischen Zustand vorgebeugt.

Was ist Mauke?

Als Mauke wird eine anfänglich zumeist nässende **Entzündung der Haut in der Fesselbeuge** bezeichnet. Dabei können Krusten mit schmerzhaften Rissen in der Haut entstehen. In diesem fortgeschrittenen Stadium lahmt das Pferd. Die Entstehung der Mauke wird durch Nässe und schmutzige Einstreu begünstigt und kann durch verschiedene Bakterien, Hautpilze und Milben verschlimmert werden. Die wichtigste Maßnahme neben der lokalen Behandlung mit bestimmten Salben ist die Schaffung einer trockenen, sauberen Umgebung.

So sieht ein Pferdefuß mit Mauke aus.

Wie entsteht Strahlfäule?

Als Strahlfäule wird eine Erkrankung des **Hufstrahls** und der mittleren und seitlichen Strahlfurchen bezeichnet. Auffällig ist ein schwarzes, übel riechendes Sekret in den Strahlfurchen, welches aufgrund von bakteriellem Gewebezerfall entsteht. Die Wegbereiter für die beteiligten Bakterien sind feuchte, unsaubere Einstreu, mangelnde Hufpflege oder auch unsachgemäßer Beschlag. Zur Lahmheit kann es kommen, wenn die Huflederhaut in Mitleidenschaft gezogen wird oder sich ein Einschuss bildet. Zur Behandlung wird das befallene Horn entfernt. Die Strahlfurchen werden mit einem geeigneten Wirkstoff (z.B. 4%igem Jodoformäther) behandelt. Das Pferd muss auf eine saubere und trockene Einstreu gestellt und die Hufe müssen täglich gesäubert werden.

Wie erkennt man einen Ballen- oder Kronentritt?

Ein Ballen- oder Kronentritt ist eine **Verletzung im Bereich des Ballens bzw. an der Hufkrone**, die sich das Pferd meist selbst zugefügt hat. Diese Wunden sollten am besten immer vom Tierarzt behandelt werden, damit ein Einschuss oder auch beim Kronentritt eine Hornspalte vermieden wird.

Prüfe dich selbst!

☐ *Welche Impfung müssen alle Turnierpferde haben?*

☐ *Was ist eine Wurmkur?*

☐ *Woran kannst du erkennen, ob ein Pferd krank ist?*

☐ *Wozu dienen die Verfassungsprüfung und die Pferdekontrolle?*

☐ *Woran erkennst du eine Kolik und was musst du tun?*

☐ *Was ist ein Kreuzverschlag? Wie handelst du, wenn du diesen vermutest?*

☐ *Welche Ursachen von Lahmheiten kennst du?*

6.9 Der Tierschutz

Jeder Mensch, der Tiere hält und betreut, trägt die Verantwortung für deren Wohlergehen. Sie sind auf die Fürsorge und Pflege durch den Menschen angewiesen. Hierzu sind gute Fachkenntnisse erforderlich!

Was weißt du über das Tierschutzgesetz?

Allen Wirbeltieren in Deutschland dient das **Tierschutzgesetz** zum **Schutz ihres Lebens und Wohlbefindens**. Es verpflichtet den Menschen, alle Tiere artgerecht zu behandeln und verantwortungsvoll zu pflegen. Wer gegen dieses Gesetz verstößt, muss mit **Geldstrafen** und unter Umständen sogar mit **Freiheitsstrafen** rechnen. Die in vielen Orten bestehenden Tierschutzvereine bemühen sich um Aufklärung und überwachen die Einhaltung des Tierschutzgesetzes. Jeder verantwortungsbewusste Mensch sollte bei Verstößen gegen das Tierschutzgesetz zum Schutze des betroffenen Tieres bei den lokalen Veterinärbehörden unbedingt **Anzeige** erstatten.

Welches sind die wichtigsten Aussagen des Tierschutzgesetzes?

* **Niemand** darf einem Tier ohne vernünftigen Grund **Schmerzen, Leiden** oder **Schäden zufügen** (aus § 1).
* Wer ein Tier hält, betreut oder zu betreuen hat, muss es seinen **Bedürfnissen entsprechend** angemessen ernähren, pflegen und verhaltensgerecht unterbringen und über die hierzu **erforderlichen Kenntnisse und Fähigkeiten** verfügen! Er muss für **artgerechte Bewegung sorgen**. Diese darf nicht so eingeschränkt werden, dass dem Tier Schmerzen oder vermeidbare Leiden zugefügt werden (aus § 2).
* Es ist **verboten**,
  - einem Tier außer in Notfällen **Leistungen** abzuverlangen, denen es offensichtlich **nicht gewachsen ist** oder die offensichtlich **seine Kräfte übersteigen** (aus § 3).
  - ein Tier auszubilden, sofern damit erhebliche **Schmerzen, Leiden** oder **Schäden** für das Tier verbunden sind.
  - an einem Tier bei sportlichen Wettkämpfen oder ähnlichen Veranstaltungen **Dopingmittel anzuwenden** (aus § 3).

Was hat das Voltigieren mit dem Tierschutz zu tun?

Jedes Voltigierpferd erbringt eine große sportliche Leistung. Dazu muss es systematisch ausgebildet werden. Es darf nicht durch falschen Ehrgeiz des Longenführers und der Voltigierer überfordert werden. Dazu gehören z.B. lange Galoppphasen ohne Unterbrechung oder zu schwierige Kür-übungen mit einer hohen Gewichtsbelastung.

Was weißt du über die „Ethischen Grundsätze des Pferdefreundes"?

Schaue dir die nachfolgende Doppelseite „Das 1 x 9 der Pferdefreunde" genau an. Diese erklärt dir anschaulich die „Ethischen Grundsätzen des Pferdefreundes". Sie umfassen die wichtigsten Regelungen im Umgang mit dem Pferd, seiner Ausbildung und Einsatzmöglichkeiten und sollen bei allen Pferdefreunden zu einem besseren Verständnis für das Pferd führen.

Besonders für die Neueinsteiger in den Pferdesport, die noch nicht viel Erfahrung im Umgang mit Tieren sammeln konnten, bilden sie wertvolle Leitlinien. Die „Ethischen Grundsätze des Pferdefreundes" müssen ebenso wie das Tierschutzgesetz von jedem Pferdefreund beachtet werden. Außerdem dienen sie dazu, sich mit dem eigenen Verhalten im Umgang mit dem Pferd kritisch auseinander zu setzen und das Wissen über das natürliche Verhalten und die Bedürfnisse von Pferden ständig zu erweitern. Die „Ethischen Grundsätze des Pferdefreundes" werden sowohl bei der Lehrkräfteausbildung der FN als auch bei den Abzeichenprüfungen vorausgesetzt.

Prüfe dich selbst!

❑ *Wozu dient das Tierschutzgesetz?*
❑ *Wer ist für die Einhaltung des Tierschutzgesetzes verantwortlich?*
❑ *Welches Ziel haben die „Ethischen Grundsätze des Pferdefreundes"?*
❑ *Kannst du die neun „Ethischen Grundsätze" aufzählen?*

1. Pferde brauchen Menschen

Pferde sind auf uns Menschen angewiesen. Wir Pferdefreunde tragen die Verantwortung dafür, dass es jedem einzelnen Pferd gut geht – auch du.

4. Alle Pferde sind wertvoll

Alle Pferde verdienen Pflege und Zuneigung, egal ob jung oder alt, Weidepony oder Turnierpferd, Zuchthengst oder ausgedientes Schulpferd. Wir Pferdefreunde wissen, dass alle Pferde gleich gut behandelt werden müssen – auch du.

5. Pferde und Menschen haben eine lange gemeinsame Geschichte

Zwischen Pferden und Menschen besteht seit Tausenden von Jahren eine enge Verbindung. Wir Pferdefreunde sind bereit, vom enormen Wissen früherer Zeiten und fremder Kulturen über Pferde zu lernen – auch du.

2. Pferde müssen richtig versorgt werden

Pferde brauchen Wasser und Futter, Licht und Luft, viel Bewegung und Kontakt zu anderen Pferden. Wir Pferdefreunde sorgen dafür, dass es jedem Pferd gut geht – auch du.

3. Die Gesundheit geht vor

Gesundheit und Zufriedenheit des Pferdes sind wichtiger als Erfolge um jeden Preis. Uns Pferdefreunden geht das Wohl jedes einzelnen Pferdes vor – auch dir.

6. Pferde sind gute Lehrer

Pferde spüren Ungeduld und Unbeherrschtheit. Sie belohnen Freundlichkeit und Geduld. Wir Pferdefreunde lernen gern von unseren Pferden – auch du.

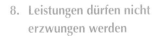

8. Leistungen dürfen nicht erzwungen werden

Pferde verfügen über unterschiedliches Talent und Leistungsvermögen. Wir Pferdefreunde respektieren die natürlichen Grenzen eines Pferdes und beeinflussen seine Leistungsfähigkeit nicht durch Gewalt, Zwang und Medikamente – auch du nicht.

7. Pferde und Menschen müssen miteinander lernen

Pferde und Menschen brauchen für den gemeinsamen Sport eine gute Ausbildung, die nie aufhört. Das wichtigste Ziel für uns Pferdefreunde ist die harmonische Verständigung mit dem Pferd – auch für dich.

9. Pferde haben ein Recht auf ein würdiges Lebensende

Pferde haben ein kürzeres Leben als Menschen. Auch am Lebensende lassen wir Pferdefreunde unser Pferd nicht im Stich und ersparen ihm unnötige Angst, Schmerzen und Qualen.

Organisation des Pferdesports (Zusatzfragen)

In Deutschland gibt es über 730.000 Mitglieder in ca. 7.700 Pferdesportvereinen. In den Vereinen bzw. Betrieben können Pferdesportler ihren Sport ausüben und Unterricht von qualifizierten Ausbildern erhalten. Viele Vereine organisieren auch Turniere und andere Veranstaltungen.

Beachte:

Dieses Thema ist nicht mehr in der APO 2014 als Prüfungsstoff für Voltigierabzeichen aufgeführt. Da das Wissen über die Organisation des Pferdesports später bei der Trainer- und Richterausbildung verlangt wird, sind die folgenden Fragen sicher für viele Aktive und Ausbilder von Interesse.

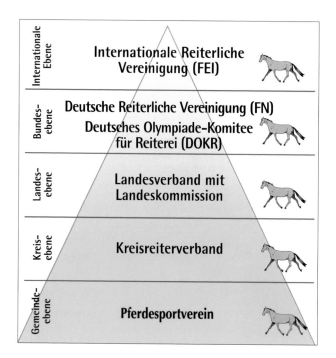

Wie ist die Struktur eines Pferdesportvereins?

Zur Gründung eines Vereins sind mindestens sieben Mitglieder erforderlich. Jeder Verein braucht eine Satzung, in der die Aufgaben des Vereins, sein Zweck, Sitz, seine Rechtsform und Organe (Vorstand, Mitgliederversammlung) festgelegt sind. Die Mitglieder eines Vereins sind über die Landessportbünde in den Übungsstunden des Vereins unfallversichert.

Was gehört zu den Aufgaben eines Pferdesportvereins?

Neben der Ausbildung im Sport und der Förderung der Jugend und des Breitensports gehört auch die Durchführung von Turnieren, Lehrgängen und auch von Reit-, Fahr- und Voltigierabzeichenprüfungen zu den Aufgaben eines Pferdesportvereins.

Was sind Kreisreiterverbände und deren Aufgaben?

Ein Kreisreiterverband (in manchen Verbänden auch Reiterringe oder Pferdesportkreis genannt) ist der Zusammenschluss aller Pferdesportvereine auf Kreisebene. Dieser ist Bindeglied zwischen dem Landesverband und den einzelnen Pferdesportvereinen. Seine Aufgaben sind: Vertretung und Beratung von Vereinen auf Kreisebene, Abstimmung von Turnierterminen und Förderung, Aus- und Fortbildung der verschiedenen Disziplinen auf Kreisebene.

Was sind die Aufgaben eines Landesverbandes (LV)?

Alle Pferdesportvereine sind über die Kreisreiterverbände Mitglied in einem Landesverband (LV). Dieser führt Beschlüsse der FN auf Landesebene durch und vertritt den Pferdesport im jeweiligen Landessportbund. Es ist Aufgabe jedes Landesverbandes, den Pferdesport auf Landesebene zu fördern, sowohl im Breitensport als auch im Leistungssport. Der LV richtet Landesmeisterschaften aus und stellt die Landeskader der verschiedenen Pferdesportarten zusammen, die dann bei Wettkämpfen auf Bundesebene an den Start gehen.

Was ist die Funktion und welches sind die Aufgaben der Landeskommission (LK)?

Zu jedem Landesverband gehört eine Landeskommission für Pferdeleistungsprüfungen. Sie übernimmt in der APO und LPO festgelegte Aufgaben und erlässt „Besondere Bestimmungen" für ihren eigenen Bereich. Die wichtigsten Aufgaben der LK sind:

- Aufsicht, Anerkennung und Auszeichnung von Pferdesportvereinen und -betrieben zusammen mit der FN
- Genehmigung und Beaufsichtigung von Turnieren
- die Ausbildung und Fortbildung von Turnierfachleuten (Parcourschefs, Richter)
- Genehmigung und Beaufsichtigung von Turnieren sowie Sonderprüfungen (z.B. Voltigierabzeichenprüfungen)
- Vorbereitung und Durchführung von Lehrgängen und Prüfungen für Amateurausbilder

Wie heißt der Dachverband für den Pferdesport in Deutschland?

Der Verband für alle Reiter, Fahrer und Voltigierer ist die **Deutsche Reiterliche Vereinigung (FN)** mit Sitz in Warendorf. Die Abkürzung FN steht für „Fédération Equestre Nationale", das heißt auf Deutsch „Nationaler Pferdesportverband". Alle 17 deutschen Landesverbände sind Mitglied im Bundesverband für Pferdesport und Pferdezucht der Deutschen Reiterlichen Vereinigung e.V. (FN).

Welche Hauptaufgaben hat die Deutsche Reiterliche Vereinigung e.V. (FN)?

Der **Bereich Sport** der FN lenkt, koordiniert und fördert den Reit-, Fahr- und Voltigiersport in Deutschland. Er erarbeitet die Regelwerke LPO und APO sowie die Richtlinien für die Ausbildung von Reitern, Fahrern und Voltigierern. Die Jahresturnierlizenzen werden bei der FN beantragt und von ihr ausgestellt. Die FN fördert die **Pferdezucht** und überwacht die artgerechte Pferdehaltung und den Tierschutz. Die **„Persönlichen Mitglieder"** sind ein Zusammenschluss von Pferdefreunden und bilden einen eigenen Bereich der FN. Die Mitglieder kümmern sich um die Belange des Pferdesports und der Erhaltung des Pferdes als Kulturgut.

FN-Mitgliedsverbände sind:

- Deutsches Olympiade-Komitee für Reiterei (DOKR) e.V.
- Deutscher Reiter- und Fahrer-Verband (DRFV) e.V.
- Deutsche Richtervereinigung (DRV) e.V.

Zu den **Anschlussverbänden** gehören unter anderem die Erste Westernreiter Union Deutschland (EWU) e.V. und das Deutsche Kuratorium für Therapeutisches Reiten (DKThR) e.V. Informationen über die FN findest du unter www.pferd-aktuell.de.

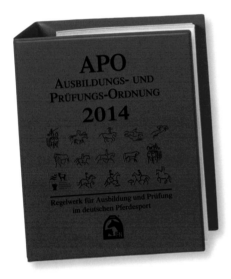

Die FN verfügt auch über einen eigenen Verlag, in dem viele Fachbücher für den Pferdesport erschienen sind. Unter www.fnverlag.de erfährst du Einzelheiten zum Verlagsprogramm.

Wo stehen die Anforderungen für die einzelnen Abzeichen und die Ausbildungswege für Trainer und Richter?

In der **APO**, der „Ausbildungs- und Prüfungs-Ordnung". Sie wird von der FN herausgeben.

Welche Ausbildungsmöglichkeiten bietet die APO für den Voltigiersport?

In der APO sind die einzelnen Abzeichen, Ausbildungswege für Lehr- und Organisationskräfte (Trainer) und für Turnierfachleute (Richter) festgelegt.

Welche Ausbildungswege gibt es für Voltigierausbilder?

Trainerassistent, Trainer C (Basissport und Leistungssport), Trainer B (Basissport und Leistungssport), Trainer A (Leistungssport) und Ergänzungsstufe für Trainer A.

Was ist das DOKR und wofür ist dieses zuständig?

Die Aufgaben des DOKR liegen im Bereich des Hochleistungssports. Dazu gehören die Aufstellung, Betreuung und Fortbildung des Bundeskaders und die Entsendung und Vorbereitung deutscher Reiter/Voltigierer und Pferde für internationale Turniere und Olympische Spiele.

Wie ist der Voltigiersport auf den verschiedenen Ebenen in Deutschland organisiert?

- In den **Pferdesportvereinen** ist der Jugendwart oder gegebenenfalls der Voltigierwart für den Voltigierbetrieb zuständig. Er gehört in der Regel dem Vereinsvorstand an.
- Auf **Kreisebene** gibt es gewählte Ansprechpartner für das Voltigieren. Sie organisieren, unterstützen und fördern den Voltigiersport der Vereine, z.B. durch ein Fortbildungsangebot auf Kreisebene.
- In den meisten großen Landesverbänden kümmern sich auf **Regionalebene** Regionaltrainer und/oder Regionalvertreter (zwischen Kreis- und Landesebene) um den Voltigiersport.

- Auf **Landesebene** sind die Landesbeauftragten als Vorsitzende oder Sprecher ihres Fachbeirates bzw. Disziplinausschusses Voltigieren verantwortlich. Ihre Aufgaben sind die Förderung des Breiten- und Leistungssports, die Aus- und Fortbildung der Ausbilder, Longenführer und Voltigierrichter sowie die Beschickung des Landeskaders. Sie entscheiden über die Nominierung für die Deutsche Meisterschaft und andere bedeutende bundesweite Veranstaltungen. Der Landestrainer fördert und betreut die Kadermitglieder (Voltigiergruppen, Einzel- und gegebenenfalls Doppelvoltigierer) und schlägt talentierte Voltigiergruppen und Einzelvoltigierer für Kadernominierungen vor.
- Auf **Bundesebene** treffen sich die Landesbeauftragten und Landestrainer in jährlichem Turnus bei der Beauftragtentagung und dem Landestrainerseminar. Über ihre Landesverbände können sie ihre Vorschläge zur Weiterentwicklung des Voltigiersports in den Bundesjugendausschuss einbringen.

  Der **DOKR-Disziplinbeirat Voltigieren** ist für den Hochleistungssport und der **FN-Fachbeirat Voltigieren** für den Breiten- und Turniersport auf Bundesebene zuständig. Beide Gremien haben die gleiche Zusammensetzung und bestehen aus dem Vorsitzenden, dem stellvertretenden Vorsitzenden, zwei Aktivensprechern und zwei weiteren Mitgliedern. Außerdem gehört der Bundestrainer beiden Fachgremien an. Kraft Amtes ist der Vorsitzende des Fachbeirates Voltigieren in der Bundesjugendleitung vertreten.

Welche Organisation kümmert sich außerdem um die Anliegen des Voltigiersports?

Der Voltigierzirkel e.V., eine Interessen- und Fördergemeinschaft für den Voltigiersport. Diese bundesweite Vereinigung gibt die Fachzeitschrift „Aktueller Voltigierzirkel" heraus, organisiert Fachtagungen und unterstützt den Voltigiersport. Informationen unter **www.voltigierzirkel.de**.

Was ist die Internationale Reiterliche Vereinigung (FEI)? Was sind ihre Aufgaben und durch welches Gremium ist der internationale Voltigiersport vertreten?

Die Fédération Equestre Internationale (FEI) ist der internationale Verband des Pferdesports mit Sitz in Lausanne/Schweiz. Zu den Aufgaben der FEI gehört die Organisation des internationalen Turniersportes und die Herausgabe und Weiterentwicklung der Regelwerke der verschiedenen Disziplinen sowie des Reglement General. Das FEI Vaulting Committee erarbeitet das internationale Voltigierreglement und erkennt internationale Voltigierrichter an.

Prüfe dich selbst!

❑ *Wie ist der Pferdesport in Deutschland aufgebaut?*
❑ *Welche Aufgaben hat ein Pferdesportverein?*
❑ *Nenne die Aufgaben der Landesverbände und der Deutschen Reiterlichen Vereinigung.*
❑ *Wie ist der Voltigiersport in Deutschland organisiert?*
❑ *Wer ist für den internationalen Pferdesport zuständig?*

Wichtige Hinweise für Ausbilder/Trainer

Ein Voltigierabzeichen wird nicht einfach von heute auf morgen „mit links gemacht", sondern es bedarf einer gründlichen Planung und Vorbereitung. Aus diesem Grund gehört jede Abzeichenprüfung zur **Jahresplanung**. Termine für Abzeichenprüfungen können bei der zuständigen Landeskommission erfragt werden. Fundierte Fachkenntnisse des Ausbilders, vor allem das Wissen über die LPO und die Richtlinien ist die wichtigste Voraussetzung für eine erfolgreiche Ausbildung der Voltigierer. Ein Longierabzeichen und eine FN-Trainerqualifikation sind dazu die besten Grundlagen. Nehmen Sie auch regelmäßig das **Lehrgangsangebot Ihres Landesverbandes** für Ihre eigene Fortbildung wahr!

Der **verantwortungsvolle Ausbilder** wird seinen Voltigierern selbstverständlich die Anforderungen für die Praxis und Theorie vorher genau erklären, damit sie wissen, was auf sie zukommt. Er bereitet seine Kandidaten gründlich und ohne Zeitdruck auf die Abzeichenprüfung vor und prüft sorgfältig, welche Voltigierer er für welche Abzeichenprüfung endgültig anmelden wird. Berücksichtigen Sie auch die Psyche Ihrer Voltigierer. Die einen wachsen in einer Prüfungssituation über sich hinaus, während andere, die vom Leistungsstand durchaus so weit sind, in einer Prüfung die Nerven verlieren.

- *Für alle Abzeichen ist ein spezieller **Vorbereitungslehrgang** unter Leitung eines Voltigierausbilders mit mindestens einer Trainer-C-Qualifikation Voraussetzung. Dieser kann z.B. als Ferienkurs oder im Rahmen eines Zeltlagers angeboten werden.*

Welche Voltigierer sollten zur Prüfung angemeldet werden?

Falls Sie die praktischen Leistungen Ihrer Voltigierer nicht sicher einschätzen können, sollten Sie mindestens zwei Turnierteilnahmen abwarten oder befreundete Ausbilder oder Richter zurate ziehen. Diese kennen die Voltigierer nicht so gut wie der eigene Ausbilder und können die Leistungen daher objektiver beurteilen.

Wichtig

- *Beurteilen Sie die Leistungen Ihrer Voltigierer realistisch und objektiv! Melden Sie nur diejenigen Voltigierer für das Abzeichen an, welche die für das angestrebte Abzeichen erforderlichen Pflichtnoten mehr als einmal erreicht haben.*

Wenn Sie während des Trainings den Eindruck gewinnen, dass es bei einigen Kandidaten knapp wird, lassen Sie diese besser noch nicht zur Prüfung zu. Geben Sie den Voltigierern noch etwas **mehr Zeit** und vermeiden Sie damit Enttäuschungen! Vergessen Sie nicht, auch mit den Eltern darüber zu sprechen und begründen Sie ihre Entscheidung. Bei einem späteren Abzeichentermin klappt es dann bestimmt. Jeder Voltigierer, der an einer Abzeichenprüfung teilnimmt, wird sich auf die **Einschätzung seines Ausbilders** verlassen, dass er das angestrebte Abzeichen schaffen kann. Wenn er die Prüfung aber wegen ungenügender Leistungen nicht besteht, wird er die Welt nicht mehr verstehen. Enttäuschte, heulende Kinder, ärgerliche Ausbilder und Eltern sind die Folge, wenn unsichere Kandidaten verfrüht zur Prüfung angemeldet werden.

Die Richter gehen davon aus, dass die Voltigierer gut vorbereitet sind und die Prüfung ohne Probleme bestehen. Erwarten Sie nicht, dass sie bei unsicheren Kandidaten ein Auge zudrücken! Das ist nicht der Sinn eines Abzeichens!

Natürlich spielt Pech auch manchmal eine Rolle. Kommen Aufregung und Nervosität oder vielleicht ein schlechter Tag des Pferdes hinzu, kann die Prüfung auch einmal schief gehen. Machen Sie den Voltigierern klar, dass es auch keine Schande ist, wenn es mit dem Abzeichen nicht auf Anhieb klappt.

Erfahrungsgemäß können die Voltigierer besser mit einem Misserfolg umgehen, wenn sie die Gründe dafür kennen. Wenn sie sehen, dass sie durch **unglückliche Umstände** wie z.B. ein ungehorsames Pferd ihre beste Leistung in der Prüfung nicht erbringen konnten, werden sie sicher leichter mit dieser Situation fertig.

Wie kann die Theorie anschaulich vermittelt werden?

Planen Sie für die Theorie genügend Zeit ein. Bieten Sie extra Theoriestunden zur Vorbereitung an! Das Abzeichen bietet die Chance, die Voltigierer in wichtigen Themen rund ums Pferd zu unterrichten und diese zu vertiefen. Dieses **Grundlagenwissen** ist für die gesamte Voltigierarbeit von Bedeutung! Selbstverständlich wird das Wissensgebiet für die Bewerber immer umfangreicher und anspruchsvoller, je höher die angestrebte Abzeichenstufe ist (SIEHE KAPITEL 1).

Erwarten Sie nicht, dass Kinder und Jugendliche sich anhand von Büchern selbstständig vorbereiten. Lassen Sie immer alle Voltigierer am Theorieunterricht teilnehmen, denn jeder sollte sich mit diesen Themen befassen. Melden Sie aber nur die Voltigierer zur Prüfung an, die genügend Interesse an der Theorie zeigen und über das notwendige Prüfungswissen verfügen. Den anderen Teilnehmern können Sie ihre Mitarbeit durch eine hübsche Teilnahmeurkunde bestätigen.

Am anschaulichsten lassen sich Themen wie die **Pferdekunde in der Praxis** auf der Stallgasse oder bei der Pflege der Voltigierausrüstung vermitteln. Alle Themen, die mit der Vorbereitung des Pferdes und seiner Versorgung zusammenhängen, können nur in der Praxis gezeigt und geübt werden. Die oft gefürchtete Theorie wird so von den Voltigierern mit mehr Begeisterung aufgenommen. Achten Sie darauf, dass die Kinder und Jugendlichen Gegenstände wie Putzzeug auch benutzen und lassen Sie damit praktisch üben. Dies kann in spielerischer Form geschehen wie

- Bandagen gemeinsam aufwickeln: Wer kann es am ordentlichsten?
- eine Trense gemeinsam auseinandernehmen, reinigen und wieder zusammenbauen
- Putzzeug sortieren und Sattelkammer aufräumen
- Pferde-Beobachtungsaufgaben

Nehmen Sie alle Gelegenheiten für den **Anschauungsunterricht** wahr, bei denen die Voltigierer den **Umgang mit dem Pferd** beobachten können wie z.B. die Fütterung der Pferde, die Tätigkeiten des Hufschmiedes oder Tierarztes.

Während des praktischen Voltigierunterrichtes lassen sich schon viele Punkte für die Voltigierlehre verständlich erklären, wie etwa die Ausrüstung des Pferdes oder die richtige Ausführung und Bewertung der Übungen. Fragen wie „Wie lange muss eine Übung ausgehalten werden?", „Wie viel Punkte Abzug gibt es, wenn du eine Übung noch einmal wiederholst?" u.Ä. können in der Praxis durchgesprochen werden.

Der Theorieunterricht lässt sich **abwechslungsreich gestalten**, wenn Sie die Lehrmaterialien wie Lehrtafeln, Filme, Bücher und Ähnliches (SIEHE LISTE FÜR LEHRMATERIALIEN) einsetzen. Im Anschluss daran können Sie von den Voltigierern die Antworten auf die verschiedenen Fragen (im Unterricht oder auch zu Hause) erarbeiten lassen. Mit etwas Geschick stellen Kinder und Jugendliche gerne ihr eigenes Informationsmaterial zusammen. Sie sammeln Artikel und Abbildungen aus Zeitschriften und gestalten damit Mappen. Eine solche Mappe könnte folgenden Inhalt haben: Rätsel rund um das Pferd, Futterproben, Bilder zum Bezeichnen, Collagen usw. Ist das Interesse einmal geweckt, stehen Kinder und Jugendliche theoretischen Themen viel aufgeschlossener gegenüber, sie werden gerne die Themen und Fragen in den Kapiteln 4 bis 6 durcharbeiten.

 *Wichtig*

- *Es ist nicht ratsam, die theoretischen Fragen stur auswendig zu lernen, ohne deren Inhalt tatsächlich begriffen zu haben. Ein Kandidat kann Fragen nur sicher beantworten, wenn er die Zusammenhänge des Themas kennt.*

Richtiges Auftreten bei Abzeichenprüfungen

Sie und Ihre Aktiven möchten sicher in der Prüfung einen guten Eindruck bei Richtern und Zuschauern hinterlassen. Es ist selbstverständlich, dass alle Teilnehmer **ordentliche, turniergerechte Kleidung** tragen und das Pferd prüfungsgerecht aufgemacht ist. Es wird sauber geputzt, die Mähne eingeflochten und die Ausrüstung befindet sich in gepflegtem Zustand. Auch der Longenführer ist passend gekleidet. Bei den Motivationsabzeichen benötigen die Voltigierer keine Turnierkleidung, sie sollten möglichst einheitlich und sportgerecht gekleidet sein.

Es ist ratsam, eine **Generalprobe** mit Prüfungsatmosphäre für Pferd und Voltigierer einzuplanen, damit sich alle Beteiligten schon an den Ablauf gewöhnen und sich die Aufregung schon vorher etwas legt. Wenn sich der Ablauf schon eingespielt hat, wird die Prüfung allen leichter fallen, denn ein regelmäßiges Üben baut das notwendige Selbstvertrauen auf. Es ist empfehlenswert, die **Startfolge der Voltigierer** schon zu Hause im Training festzulegen.

Waren Ihre Voltigierer noch nie auf einem Turnier, **üben** Sie am besten die Voltigierpraxis in einer fremden Halle mit einigen Zuschauern oder nehmen Sie an einem Voltgiertag teil, sodass Pferd und Voltigierer (und auch Sie als Longenführer!) sich vor Publikum in einer anderen Umgebung schon einmal präsentieren konnten. Auch die Theorieprüfung können Sie simulieren, indem ein anderer Ausbilder das Wissen der Voltigierer abfragt.

Mit einer gezielten und sorgfältigen Vorbereitung und der richtigen Einschätzung und Motivation der Voltigierer werden in der Regel auch alle Kandidaten bestehen. Dies ist für Sie als Ausbilder eine **Bestätigung Ihrer Arbeit**, auf die Sie mit Recht stolz sein können!

9
Durchführung von Abzeichenprüfungen

9.1 Planungshilfen für Veranstalter

Das Gelingen jeder Veranstaltung bedingt eine gut durchdachte Organisation. Dazu ist die gute Zusammenarbeit aller Beteiligten erforderlich. Alle Abzeichenprüfungen sind Sonderprüfungen der FN. Sie dürfen nicht im Rahmen von Voltigierturnieren stattfinden und müssen vom Landesverband (LV) bzw. der Landeskommission (LK) genehmigt werden. Die LK benennt dafür einen LK-Beauftragten, der für die ordnungsgemäße Durchführung der Prüfung verantwortlich ist.

Wo und wann können die Abzeichenprüfungen abgelegt werden?
Sie können in jedem von der FN anerkannten Ausbildungsbetrieb oder Pferdesportverein stattfinden. Die Termine und Orte von Abzeichenprüfungen sind bei der LK zu erfahren. Alle Teilprüfungen müssen an einem oder zwei aufeinanderfolgenden Tagen abgelegt werden.

Wer darf die Prüfungen abnehmen?
Hierfür ist immer eine Prüfungskommission zuständig. Bei den **Einstiegsabzeichen VA 10, VA 9 und VA 7** besteht sie aus einer Person, die mindestens über eine Trainer-C-Lizenz im Voltigieren oder über eine Richterqualifikation (VOE oder Richter Breitensport-Voltigieren) verfügen muss. Sogar der eigene Ausbilder kann bei entsprechender Qualifikation diese Aufgabe übernehmen, jedoch ist der Ausbilder eines Nachbarvereins sicherlich eine bessere Lösung.

Beim **Basispass Pferdekunde** besteht die Prüfungskommission aus einem Richter oder Richter Breitensport-Reiten wenn nicht mehr als zehn Prüfungsteilnehmer angemeldet sind. Ab elf Prüfungsteilnehmern müssen der Prüfungskommission zwei Richter (oder ein Richter und ein Prüfer Breitensport-Reiten bzw. ein Prüfer eines FN-Anschlussverbandes) angehören. Die Stationsprüfungen können auch aufgeteilt und von jeweils einem Prüfer abgenommen werden.

Bei den **Voltigierabzeichen** ab VA 4 besteht die Prüfungskommission immer aus **zwei** Voltigierrichtern. Die einzelnen Stationsprüfungen können von jeweils einem Richter abgenommen werden.

Planungshilfe für die Veranstalter von Abzeichenprüfungen

- Den Termin frühzeitig mit dem Vereinsvorstand bzw. dem Betreiber der Reitanlage festlegen und die Reithalle reservieren.
- Die Richter bzw. Prüfer einladen.
- Die Veranstaltung spätestens **vier Wochen vorher** bei der LK anmelden, dabei die Richter angeben.
- Kosten kalkulieren (SIEHE UNTEN).
- Andere Vereine ansprechen und einladen.
- Ein Helferteam zusammenstellen.
- Urkunden und Abzeichen spätestens zwei Wochen vor der Prüfung bei der LK bestellen.
- Spätestens eine Woche vor der Prüfung den **Zeitplan** aufstellen und diesen mit der Prüfungskommission abstimmen.
- Es müssen sorgfältig ausgearbeitete **Hilfsbögen** für die Prüfer vorbereitet werden (SIEHE ANHANG).
- Im eigenen Verein den Vorstand und die Eltern der Voltigierer über den geplanten Ablauf **frühzeitig informieren**.
- Die Telefonnummer des diensthabenden Arztes und eines Sanitätsdienstes bereithalten.
- Zur **Übergabe der Abzeichen** möglichst die örtliche Presse einladen und/oder einen Fotografen aus den eigenen Reihen dazubitten.
- Zur Berechnung der Abzeichenprüfungen stellt die FN auf ihrer Homepage das Programm „ARIS" unter /Service/Toris zum Herunterladen zur Verfügung.

Wie oft kann ein Verein eine Abzeichenprüfung durchführen?

Hier gibt es keinerlei Einschränkungen. Zu berücksichtigen sind lediglich die Wartezeiten für Wiederholer. Es ist durchaus wünschenswert, wenn größere Vereine im Rahmen ihrer Jahresplanung jährlich eine Abzeichenprüfung anbieten oder sich mit benachbarten Vereinen im jährlichen Turnus hierbei abwechseln.

Dürfen verschiedene Prüfungen am gleichen Termin durchgeführt werden?

Ja, die APO ermöglicht es, die Prüfungen zum Basispass Pferdekunde und für alle Voltigierabzeichen zum gleichen Termin anzubieten. Der Vorteil dabei ist, dass Voltigierer in Gruppen mit unterschiedlichem Leistungsstand gemeinsam an der Prüfung teilnehmen können.

Was kostet eine Abzeichenprüfung?

Für jeden Prüfungsteilnehmer entstehen Gebühren für den erworbenen Basispass Pferdekunde und/oder das erworbene Abzeichen sowie Bearbeitungsgebühren, die der Veranstalter an die LK abführen muss.

Hinzu kommen die Honorar- und Reisekosten der Prüfer und eventuell weitere Kosten für die Hallenmiete und einen Vorbereitungslehrgang. Diese Kosten legt der Veranstalter üblicherweise auf alle Teilnehmer um. Im Einladungsschreiben zur Abzeichenprüfung sollte bereits auf die voraussichtlichen Kosten pro Prüfung und Teilnehmer hingewiesen werden.

Hierfür werden viele helfende Hände gebraucht!

Zur Vorbereitung des Ablaufs in der Reithalle gehören folgende Punkte:

- Der/die Prüfungszirkel und der Ablongierzirkel müssen eingeebnet und optisch abgegrenzt werden.
- An jedem Prüfungszirkel wird ein Richtertisch mit drei Stühlen für die Richter und einen versierten Schreiber benötigt. Kissen auf den Stühlen und Wolldecken sind den Richtern sicher willkommen.
- Am Ablongierzirkel kann ein Übungspferd aufgestellt werden.
- Die Stationsprüfungen sollten möglichst ungestört in der Reithalle oder im Stall durchgeführt werden. Dort sollten ein Pferd, seine Ausrüstung und Putzkiste zur Verfügung stehen, damit die Prüfungsteilnehmer die Aufgaben praktisch demonstrieren können.

Für die **Meldestelle** werden zwei bis drei möglichst erfahrene Helfer für folgende Aufgaben benötigt:

- Alle Longenführer erklären hier die Startbereitschaft ihrer Voltigierer und entrichten die Teilnehmergebühren. Spätestens zu diesem Zeitpunkt müssen Geburtsdatum und vollständige Adresse aller Teilnehmer mitgeteilt werden.
- Anschließend wird die endgültige Starterliste (Startfolge und Startzeiten) erstellt und gut sichtbar ausgehängt. Weicht diese deutlich von der ersten Zeiteinteilung ab oder bestehen noch Unklarheiten, muss der LK-Beauftragte informiert werden.
- Auch alle weiteren Informationen (z.B. über das Ablongieren, die Umkleidemöglichkeiten, die Toiletten) sollten an der Meldestelle erhältlich sein.
- Während der Prüfung können von der Meldestelle bereits die persönlichen Daten der Teilnehmer in die Urkunden und Ergebnislisten der LK eingetragen werden, damit im Anschluss an die Prüfung nur noch die Ergebnisse nachzutragen sind.

Für den **Hufschlagdienst** werden zwei bis drei Erwachsene oder große Voltigierer gebraucht, die den Zirkel nach jedem Start wieder einebnen. Es ist im Interesse aller Prüfungsteilnehmer, für ihren Start einen gut aufbereiteten Prüfungszirkel vorzufinden. Für die Bewirtung der Zuschauer und Aktiven sind je nach Angebot an Speisen und Getränken mindestens drei Erwachsene einzuteilen. Aus dem Erlös lässt sich die Voltigierkasse ideal aufstocken! Auf dem Richtertisch sollten für die Richter Wasser und Tee oder Kaffee bereitstehen. Ein bis zwei Personen (je nach Dauer der Veranstaltung) übernehmen die Ansage der Prüfungen und Teilnehmer.

Was muss im Zeitplan berücksichtigt werden?

- Der Veranstalter legt in Absprache mit dem LK-Beauftragten den Prüfungsablauf fest. Alle Prüfungen können entweder mit der Praxis oder der Theorie beginnen.
- Alle Prüfungsteilnehmer für das VA 4 müssen zuvor die Prüfung zum Basispass Pferdekunde absolvieren. Dies entfällt, wenn sie bereits die Reitabzeichen RA 7 und RA 6 besitzen.
- Es ist ratsam, zuerst alle Einstiegsabzeichen (VA 10, VA 9, VA 7) zu prüfen und gegebenenfalls die Ehrung und Abzeichenübergabe direkt anzuschließen. So müssen diese Voltigierer nicht bis zum Ende der gesamten Veranstaltung warten. Auch lässt sich die Übergabe der Abzeichen und Urkunden in kleinerem Rahmen immer persönlicher gestalten.

Der Zeitbedarf (empfohlene Mindestzeiten)

	Basispass Pferdekunde	Voltigierabzeichen VA 10, VA 9, VA 7	Voltigierabzeichen VA 4 – VA 1
Praxis	Pro Prüfungsteilnehmer rechnet man mit 7–10 Minuten. Für eine Gruppe mit vier Teilnehmern werden insgesamt etwa 30 Minuten benötigt.	2 Minuten pro Voltigierer und 3 Minuten für Ein-/Auslauf und Hufschlag einebnen	1,5–2 Minuten pro Voltigierer (inkl. eventueller Wiederholung) und 3 Minuten für Ein-/Auslauf und Hufschlag einebnen
Stationen (Theorie)		Ca. 3 Minuten pro Voltigierer	Ca. 4 Minuten pro Voltigierer. Dabei gilt: Je höher das Abzeichen, desto intensiver wird nachgefragt.

- Bei einem großen Starterfeld ist es sinnvoll, mindestens drei Richter einzusetzen. Auf diese Weise können zwei Prüfungsteile parallel durchgeführt werden, indem beispielsweise einige Gruppen noch den Basispass Pferdekunde absolvieren, während andere bereits mit den Abzeichenprüfungen beginnen. Auch hier können der praktische Teil und die Stationsprüfungen von verschiedenen Richtern geprüft werden. Wenn genügend Plätze zum Ablongieren vorhanden sind, kann die praktische Prüfung auch auf zwei Zirkeln gleichzeitig durchgeführt werden.

Nach bestandener Prüfung freuen sich die Voltigierer sehr über ihren Erfolg und sind stolz auf ihre Leistung. Die Bekanntgabe des Prüfungsergebnisses ist ein wichtiges Ereignis, das der Veranstalter in einem entsprechenden Rahmen gestalten sollte. Als Anerkennung wird jedem Teilnehmer von den Prüfern für das bestandene Abzeichen eine Urkunde und eine Anstecknadel der FN persönlich überreicht.

Wichtig

- *Vergessen Sie nicht, gleich nach Abschluss einer Abzeichenprüfung die Ergebnisse über die LK an die FN zu senden!*

9.2 Die Prüfung

Der LK-Beauftragte bzw. der Veranstalter muss vor Prüfungsbeginn die Zulassungsvoraussetzungen der einzelnen Kandidaten (einschließlich ihrer Teilnahme an einem Vorbereitungslehrgang) überprüfen.

Für folgende Abzeichen gelten zusätzliche Voraussetzungen:

Abzeichen	VA 4	VA 3	VA 2	VA 1
Zulassungs-voraussetzung	Basispass Pferde-kunde oder RA 7 und RA 6	mindestens 3 Monate Besitz des VA 4	Mindestens 3 Monate Besitz des VA 3	Mindestens 3 Monate Besitz des VA 2
	+ Mitgliedschaft in einem der FN angeschlossenen Verein			

Hilfsbogen helfen Ihnen weiter

Die Prüfer benötigen neben dem Zeitplan eine Übersicht pro teilnehmender Prüfungsgruppe. Vorschläge für Hilfsbögen dazu befinden sich im Anhang. Bei den Einstiegsabzeichen und dem Basispass Pferdekunde genügt ein Hilfsbogen pro Prüfungsgruppe. Darauf sind sowohl die Namen der Prüfungsteilnehmer und die Art des Abzeichens vermerkt als auch die Prüfungsanforderungen aufgeführt. Bei den Voltigierabzeichen ab VA 4 empfiehlt sich pro Voltigierer ein separater Hilfsbogen, da die Stationsprüfungen in Kleingruppen je nach Art des Abzeichens aufgeteilt werden können. Die praktische Prüfung für die einzelnen Abzeichenarten wird je nach Teilnehmerzahl jedoch am besten zusammen durchgeführt.

Prüfungsablauf beim Basispass Pferdekunde

Die Prüfungsteilnehmer werden in kleine Gruppen von vier bis sechs Teilnehmern eingeteilt. Der Prüfungsteil „Praktischer Umgang mit dem Pferd" wird im Stall und auf der Reitanlage durchgeführt. Die verschiedenen Themen der Theorie werden in vier Stationen geprüft (SIEHE KAPITEL 1.2). Es empfiehlt sich, jedem Teilnehmer gleich im Anschluss nach der letzten Prüfung das Ergebnis bekannt zu geben.

Prüfungsablauf bei den Voltigierabzeichen

Wir empfehlen, die Abzeichen **VA 10, VA 9 und VA 7** zeitlich getrennt von den **VA 4 bis VA 1** durchzuführen, da die theoretischen und praktischen Anforderungen zu unterschiedlich sind. Die Prüfer sollten im Anschluss an die erste Teilprüfung das Ergebnis jeweils sofort bekannt geben! Wer hier nicht bestanden hat, für denjenigen ist die gesamte Prüfung beendet.

Wichtig

- *Berücksichtigen Sie stets das Alter der Teilnehmer. Prüfen Sie stets wohlwollend und situationsgerecht!*

Die praktische Prüfung

Wie auf einem Turnier geben die Prüfer per Klingelzeichen den Prüfungszirkel zum Einlaufen frei. Nach dem Einlaufen und der Grußaufstellung überprüfen die Richter in der Regel nochmals die Startreihenfolge, damit diese mit ihren Unterlagen übereinstimmt. Dies lässt sich am besten feststellen, wenn alle Voltigierer Nummern tragen.

- Vor Beginn der praktischen Prüfung und auch zwischen den einzelnen Pferden sollte der Ansager unbedingt darauf hinweisen, dass beim Fotografieren kein Blitzlicht benutzt werden darf und während der Prüfungen absolute Ruhe herrschen muss.
- Die Startfolge innerhalb einer Prüfungsgruppe sollte auf jeden Fall nach Art der Abzeichen und nicht nach Größe der Voltigierer geordnet werden, damit die gleichen Anforderungen zusammen geprüft werden können.
- Nach der Trabrunde und dem Klingelzeichen starten alle Voltigierer in der zuvor festgelegten Reihenfolge. Bei den Einstiegsabzeichen **VA 10, VA 9 und VA 7** ist es sinnvoll, erst alle Galoppübungen zu zeigen. Anschließend können dann gegebenenfalls die Ausbinder oder Hilfszügel für den Schrittteil verlängert werden.
- Bei den Voltigierabzeichen **VA 4 und VA 3** empfehlen wir, zuerst den 1. Übungsblock aller Kandidaten zu bewerten und danach den 2. Übungsblock.
- Ist eine misslungene Übung eindeutig auf das Pferd oder äußere Einflüsse zurückzuführen, können die Richter gleich anschließend eine sofortige Wiederholung zulassen.
- Wenn eine Übung unter der geforderten Wertnote liegt, können die Voltigierer am Ende der praktischen Prüfung diese auf Weisung der Richter wiederholen. Sie können daran einen beliebigen Pflichtabgang anschließen, falls zu der Übung kein bewerteter Abgang dazugehört.

Die Pferdekunde wird direkt am Pferd geprüft. Der Longenführer sollte die Longe lockerer halten.

- Reicht beim **VA 2 oder VA 1** der Durchschnitt nicht aus, können die betreffenden Voltigierer selbst wählen, welche Übung sie wiederholen möchten, um den erforderlichen Notendurchschnitt zu erreichen. Sie sollten die Gelegenheit erhalten, sich zuvor mit ihrem Longenführer kurz abzusprechen.

Die Stationsprüfungen: Viele Fragen rund ums Voltigieren und über Pferdekunde

Im **theoretischen Teil** der Prüfung sind verschiedene Fragen rund um den Voltigiersport und zur Pferdekunde zu beantworten. Die Richter können sich für diesen Prüfungsteil auch trennen. Bei den Voltigierabzeichen **VA 4 bis VA 1** empfiehlt es sich, die Prüfungsteilnehmer – wie in der Voltigierpraxis – nach der **Art der Abzeichen** einzuteilen. Bei den Einstiegsabzeichen ist dies nicht erforderlich, da die Anforderungen nahezu deckungsgleich sind.

- *Alle praktischen Voltigierübungen werden nach den Kriterien im Aufgabenheft Voltigieren und den Richtlinien, Band 3: Voltigieren bewertet. Es können ganze, halbe und Zehntelnoten von 0–10 vergeben werden.*

Die Richter stellen jedem Voltigierer mehrere Fragen. Dazu gehört auch, die Teilnehmer **in der Praxis** zeigen zu lassen, wie beispielsweise ein Pferd geputzt und gesattelt wird und wie seine Körperteile bezeichnet werden. Dies kann auch im Stall durchgeführt werden. Wenn ein Kandidat auf eine Frage antwortet, sollte man ihn aussprechen lassen und nicht gleich beim ersten Fehler unterbrechen, um ihn nicht unnötig zu verunsichern.

Zeigt ein Prüfling in einem einzelnen Gebiet Schwächen, sollte der Prüfer nicht weiter darauf beharren, sondern zu einem anderen Thema wechseln. Wenn ein Kandidat sicher und schnell seine Antworten parat hat, kann dieser mit zusätzlichen Fragen, die selbstständiges Denken verlangen, eine noch bessere Note erreichen.

- *Die Art und der Schwierigkeitsgrad der Aufgaben und Fragen müssen auf das Leistungsniveau des jeweiligen Abzeichens und auf das Alter der Kandidaten abgestimmt sein.*